English - Lithuanian

My first Picture Dictionary

Designed and edited by : Maria Watson
Translated by : Mhd. Median Tiba

English - Lithuanian
My First Picture Dictionary

ISBN: 978 1 908357 83 0

Published by
Biblio Bee Publications
An imprint of **ibs BOOKS (UK)**
56, Langland Crescent, Stanmore HA7 1NG, U.K.
Tel: 020 8900 2640, Fax: 020 3621 6116,
email: sales@starbooksuk.com, www.starbooksuk.com

First Edition : 2016
Reprint : 2017

Printed at : Star Print-O-Bind, New Delhi-110 020 (India)

This dictionary has been published in the following languages:
Arabic, Bengali, Chinese, Croatian, Farsi, French, Gujarati, Hindi, Latvian, Lithuanian, Pashto, Polish, Portuguese, Punjabi, Romanian, Russian, Spanish, Tamil and Urdu.

Aa

actor

aktorius

actress

aktorė

adult

suaugęs (-usi)

aeroplane
US English **airplane**

lėktuvas

air conditioner

oro kondicionierius

air hostess
US English **flight attendant**

orlaivių palydovas (-ė)

airport

oro uostas

album

albumas

almond

migdolas

alphabet

abėcėlė

ambulance

greitosios pagalbos automobilis

angel

angelas

animal

gyvūnas

ankle

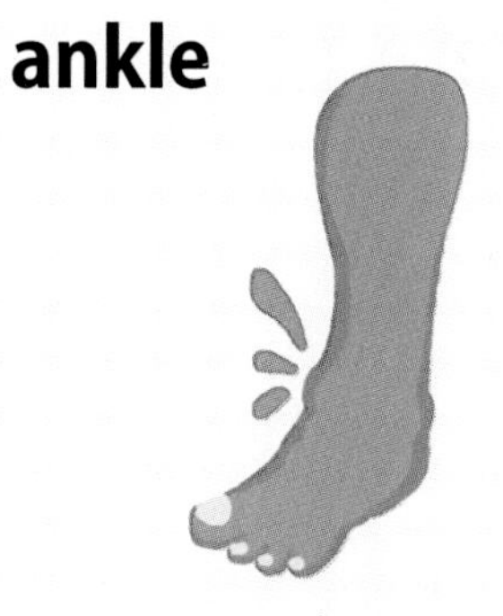

kulkšnis

ant

skruzdėlė

antelope

antilopė

antenna

antena

apartment

butas

ape

beždžionė

apple

obuolys

apricot

abrikosas

apron

prijuostė

aquarium

akvariumas

archery

šaudymas iš lanko

architect

architektas

arm

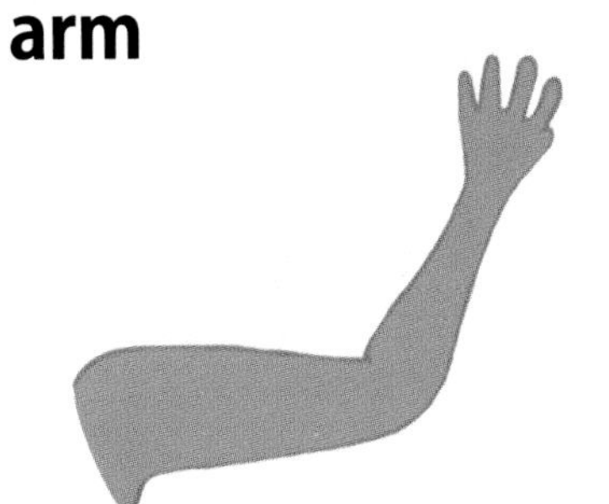

ranka

armour

US English **armor**

šarvai

arrow

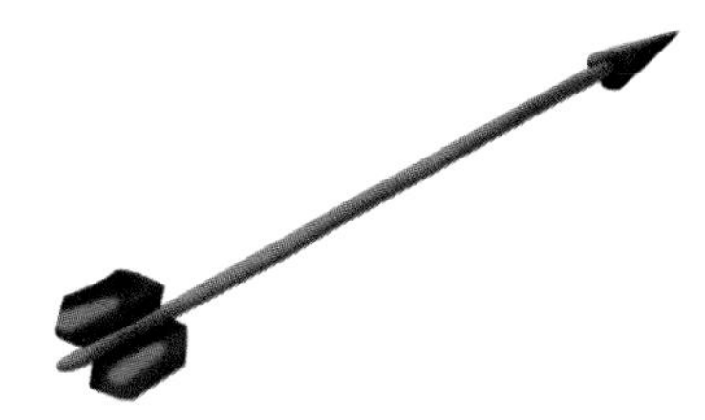

strėlė

artist

menininkas

asparagus

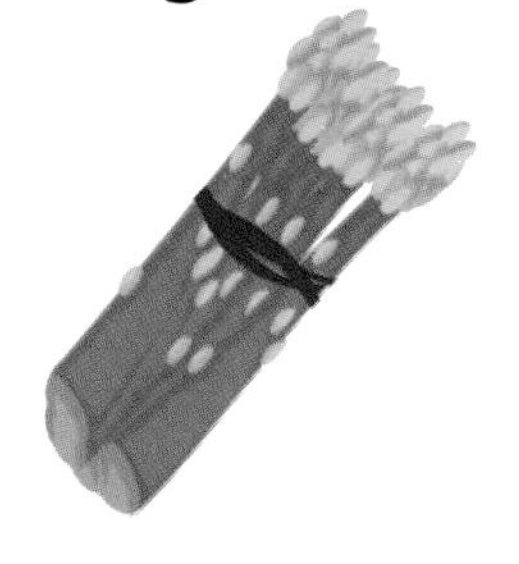

šparagas

astronaut

astronautas

astronomer

astronomas

athlete

atletas

atlas

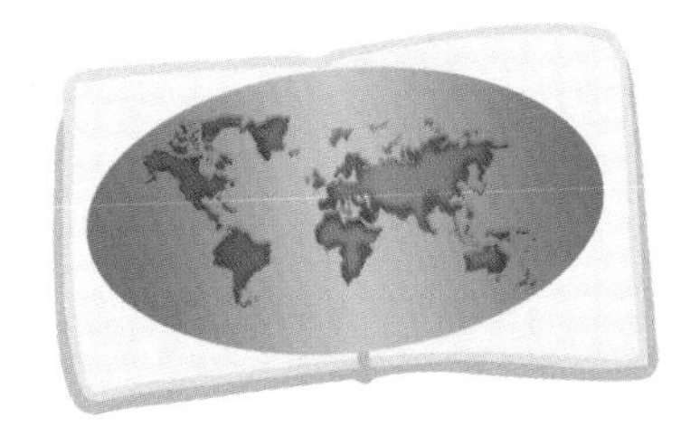

atlasas

aunt

teta

a b c d e f g h i j k l m n o p q r s t u v w x y z

author

autorius

automobile

automobilis

autumn

ruduo

avalanche

lavina

award

apdovanojimas

axe

kirvis

Bb

baby

kūdikis

back

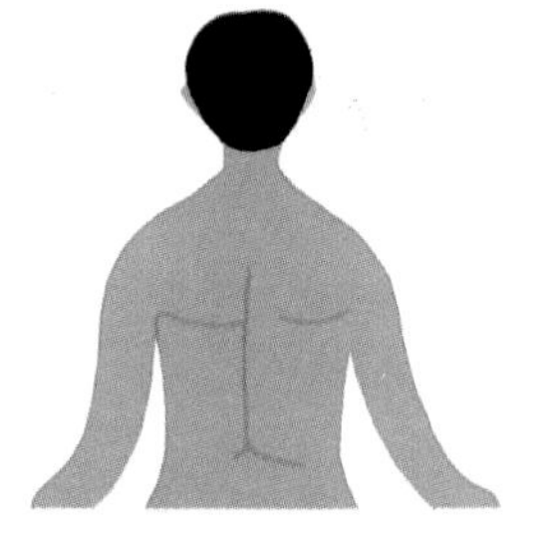

nugara

bacon

bekonas

badge

ženklelis

badminton

badmintonas

bag

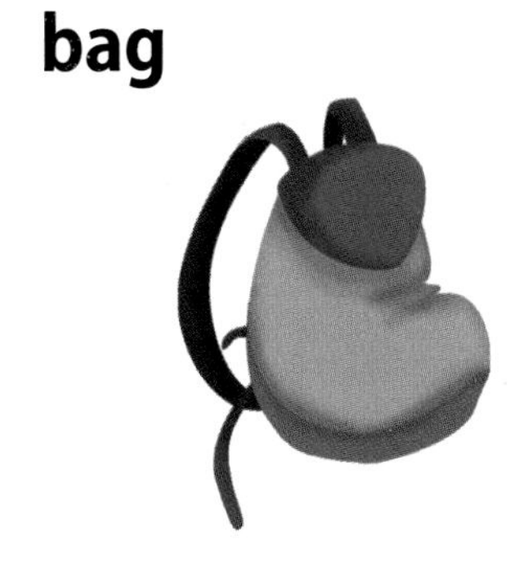

kuprinė

baker

kepėjas (-a)

balcony

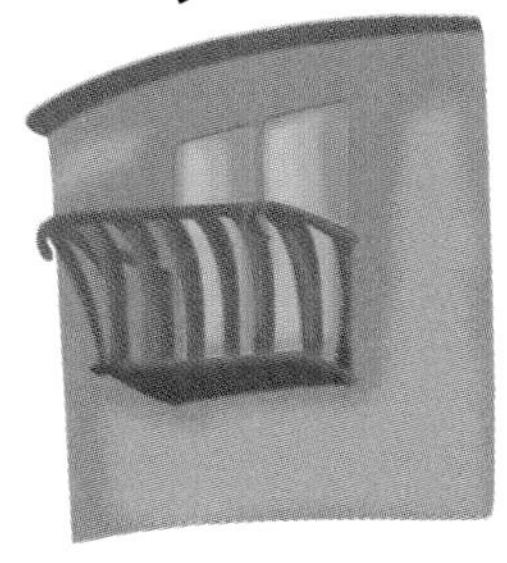

balkonas

bald

plikas

ball

kamuolys

ballerina

balerina

balloon

balionas

bamboo

bambukas

banana

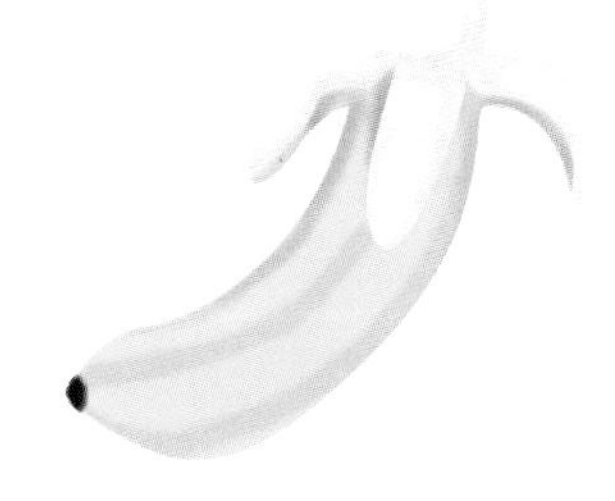

bananas

band

grupė

bandage

tvarstis

barbeque

kepimas ant grotelių

a b c d e f g h i j k l m n o p q r s t u v w x y z

barn

svirnas

barrel

statinė

baseball

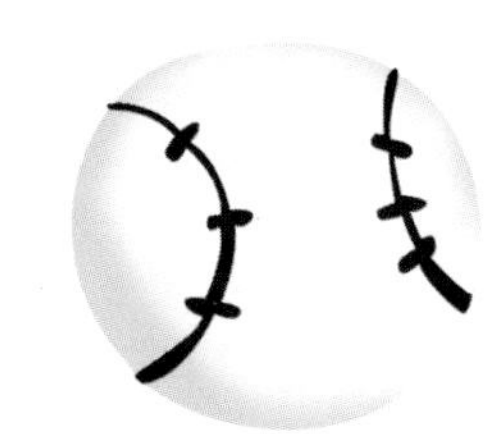

beisbolas

basket

krepšys

basketball

krepšinis

bat

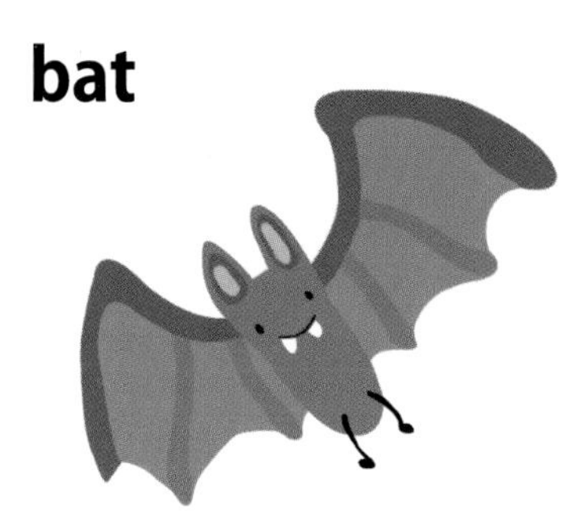

šikšnosparnis

bath

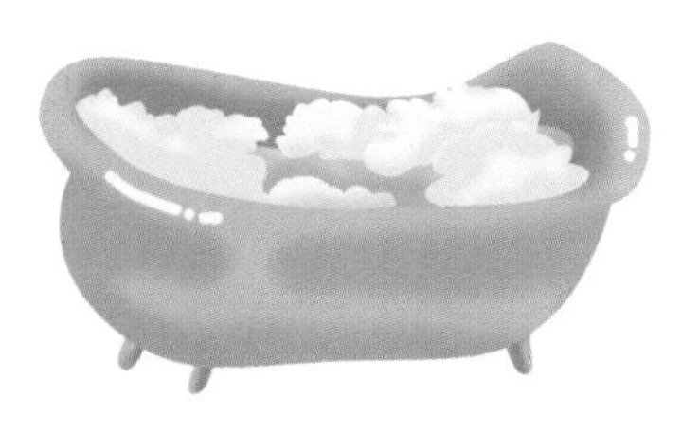

vonia

battery

baterija

bay

įlanka

beach

paplūdimys

beak

snapas

bean

pupelė

bear

meška

beard

barzda

bed

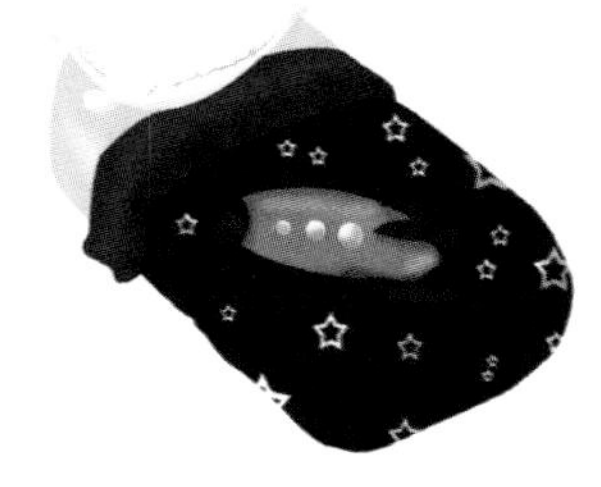

lova

bee

bitė

beetle

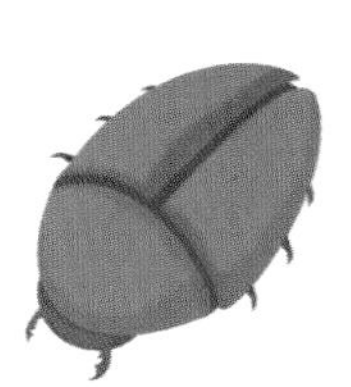

vabalas

beetroot

burokėlis

bell

varpas

belt

diržas

berry

uoga

bicycle

dviratis

billiards

biliardas

bin

šiukšlių dėžė

bird

paukštis

biscuit

sausainis

black

juodas (-a)

blackboard

klasės lenta

blanket

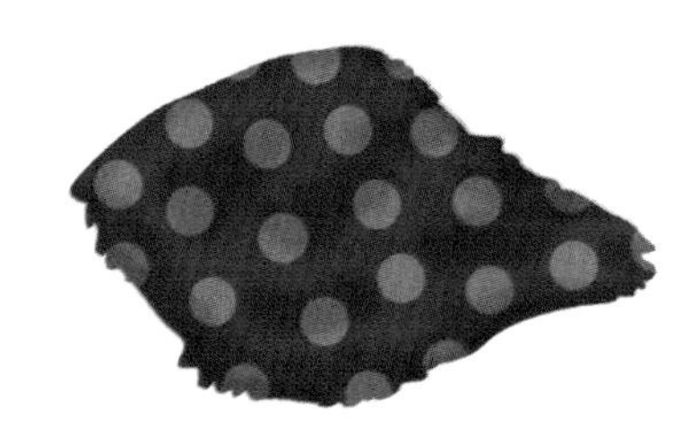

antklodė

blizzard

pūga

blood

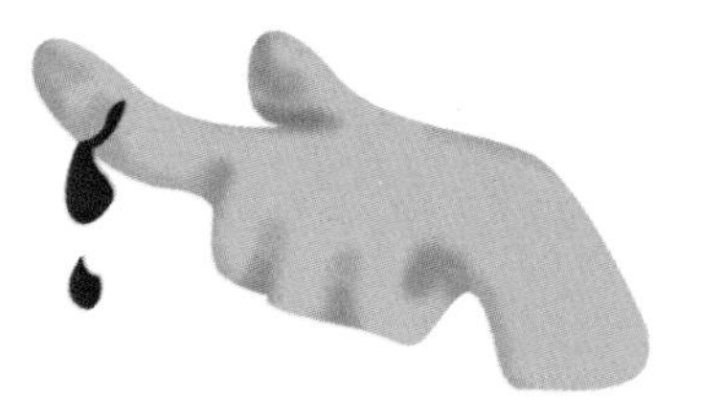

kraujas

blue

mėlynas (-a)

boat

valtis

body

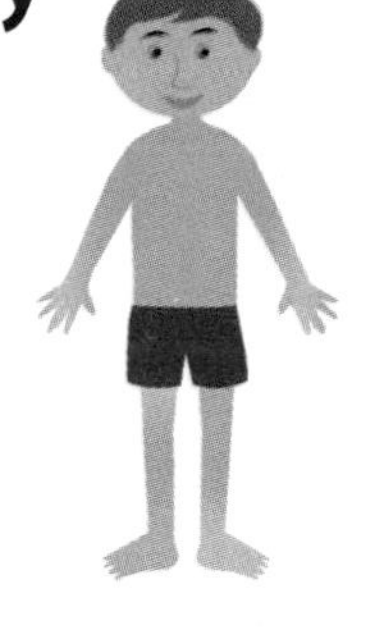

kūnas

bone

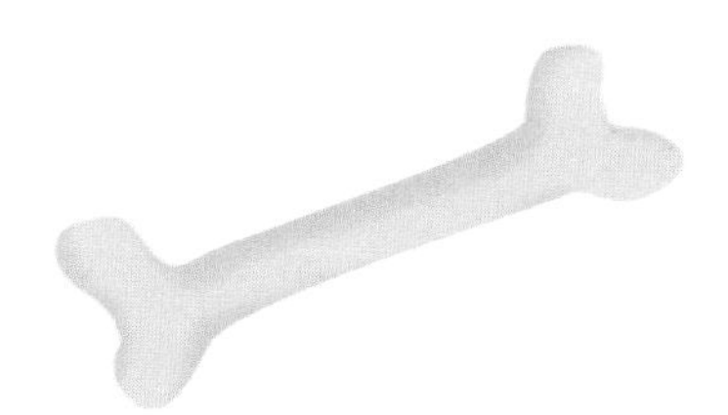

kaulas

book

knyga

boot

batas

bottle

butelis

bow

kaspinas

bowl

dubuo

box

dėžė

boy

berniukas

bracelet

apyrankė

brain

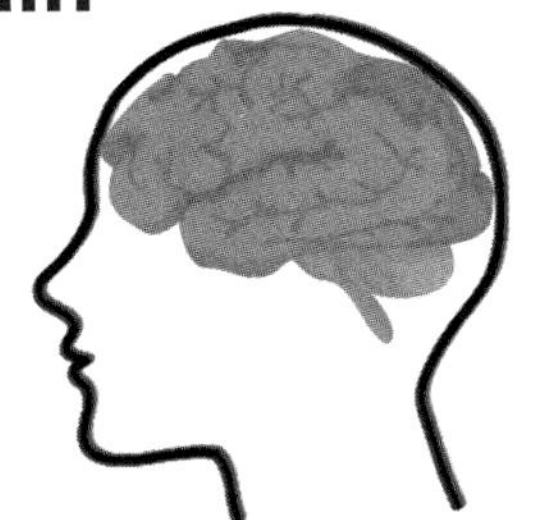

smegenys

branch

šaka

bread

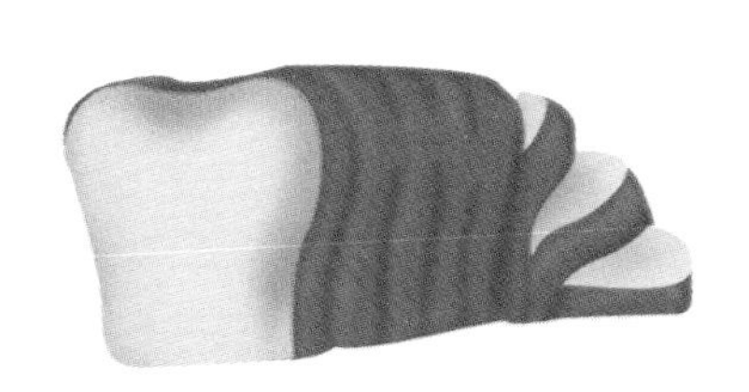

duona

breakfast

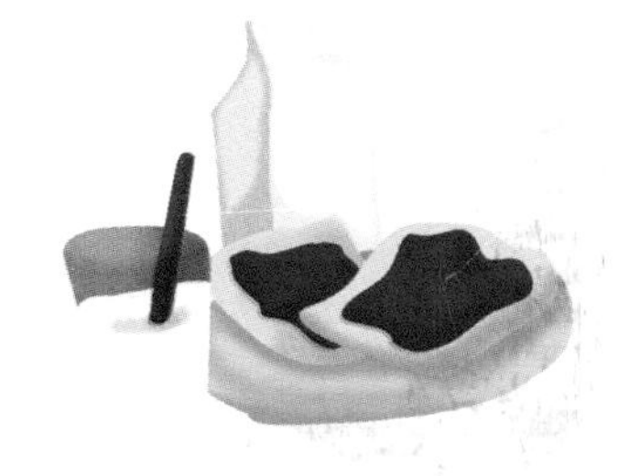

pusryčiai

brick

plyta

a b c d e f g h i j k l m n o p q r s t u v w x y z

a b c d e f g h i j k l m n o p q r s t u v w x y z

bride

nuotaka

bridegroom

jaunikis

bridge

tiltas

broom

šluota

brother

brolis

brown

rudas (-a)

brush

šepetys

bubble

burbulas

bucket

kibiras

buffalo

buivolas

building

pastatas

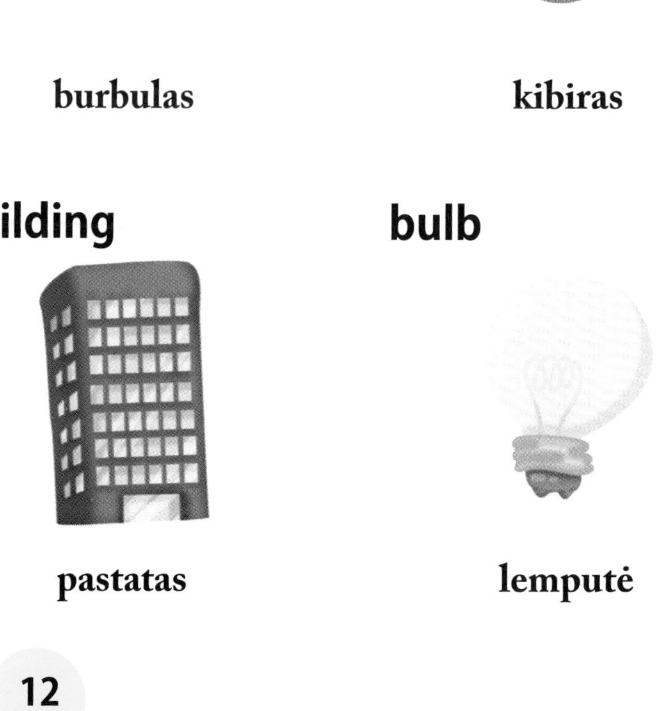

bulb

lemputė

bull

jautis

bun

bandelė

bunch

puokštė

bundle

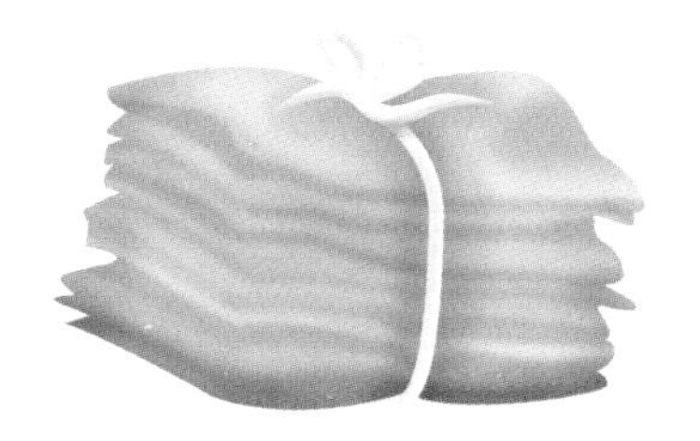

ryšulys

bungalow

vasarnamis

burger

mėsainis

bus

autobusas

bush

krūmas

butcher

mėsininkas (-ė)

butter

sviestas

butterfly

drugys

button

saga

a b c d e f g h i j k l m n o p q r s t u v w x y z

Cc

cabbage

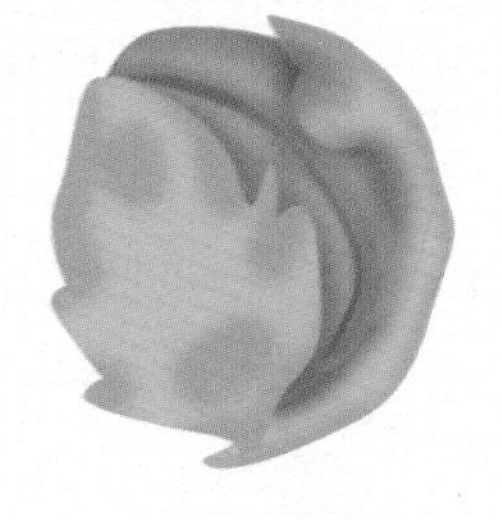

kopūstas

cabinet

spintelė

cable

laidas

cable car

keltuvas

cactus

kaktusas

cafe

kavinė

cage

narvas

cake

tortas

calculator

skaičiuotuvas

calendar

kalendorius

calf

veršelis

camel

kupranugaris

camera

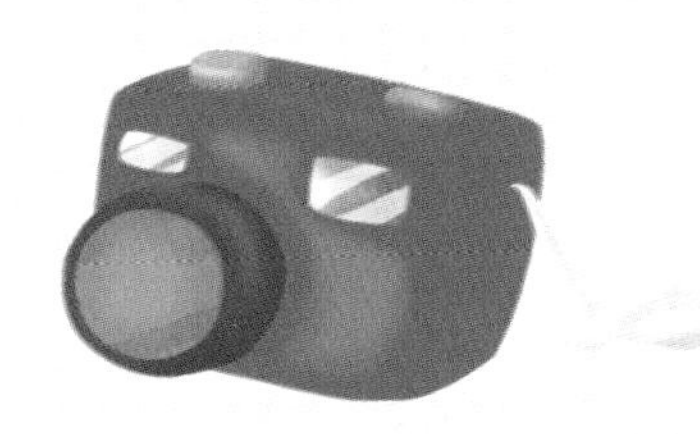

fotoaparatas

camp

stovykla

can

skardinė

canal

kanalas

candle

žvakė

canoe

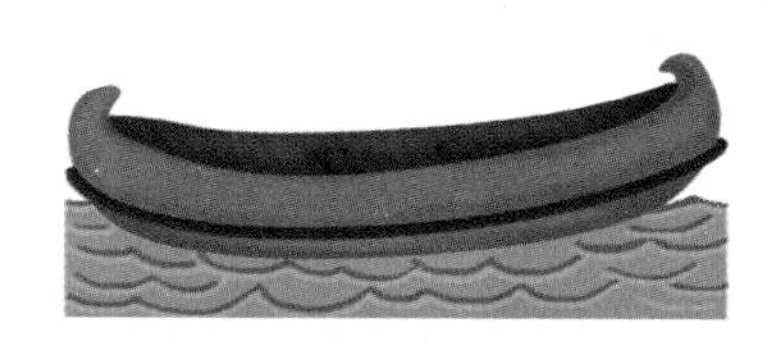

kanoja

canteen

valgykla

cap

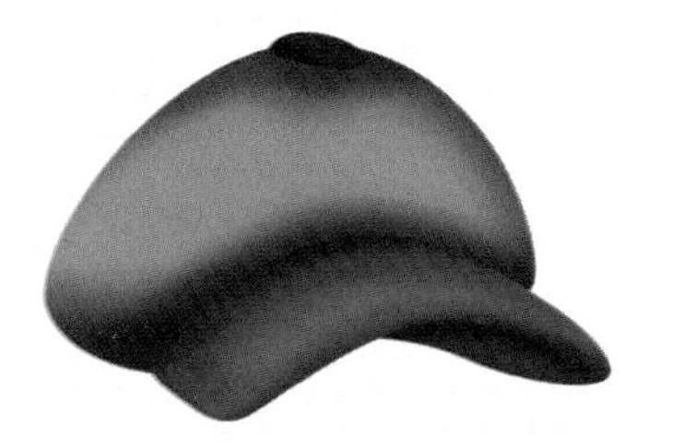

kepurė

captain

kapitonas

car

automobilis

caravan

karavanas

a b c d e f g h i j k l m n o p q r s t u v w x y z

a b c d e f g h i j k l m n o p q r s t u v w x y z

card

atvirukas

carnival

karnavalas

carpenter

dailidė

carpet

kilimas

carrot

morka

cart

rankinis vežimėlis

cartoon

animacinis filmukas

cascade

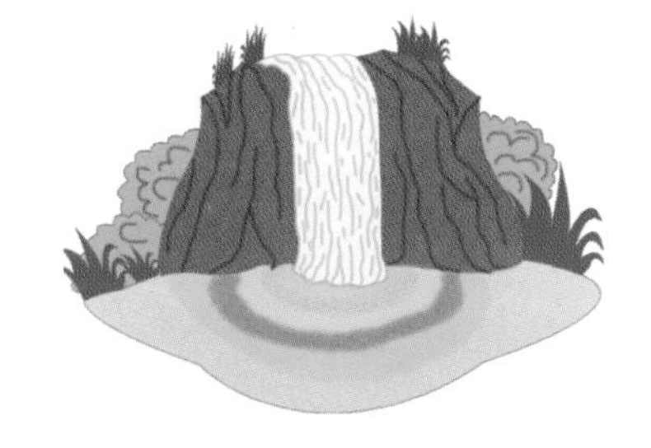

kaskada

castle

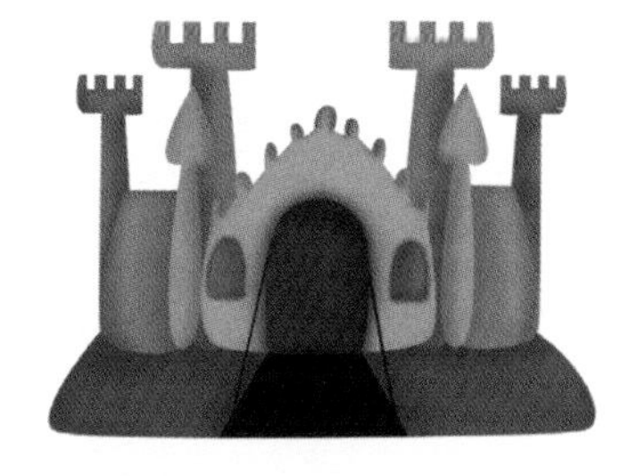

pilis

cat

katė

caterpillar

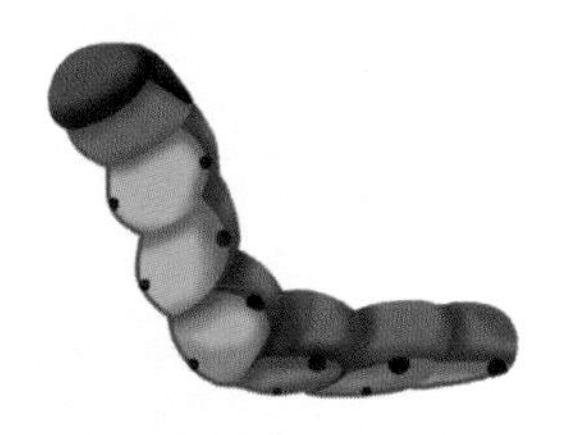

vikšras

cauliflower

žiedinis kopūstas

cave

urvas

ceiling

lubos

centipede

šimtakojis

centre
US English **center**

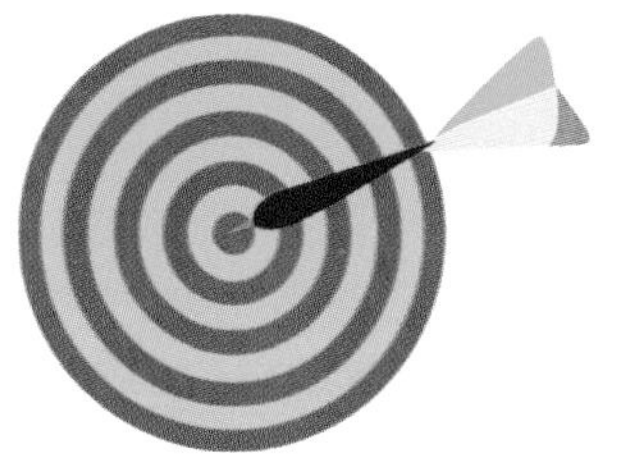

centras

cereal

dribsniai

chain

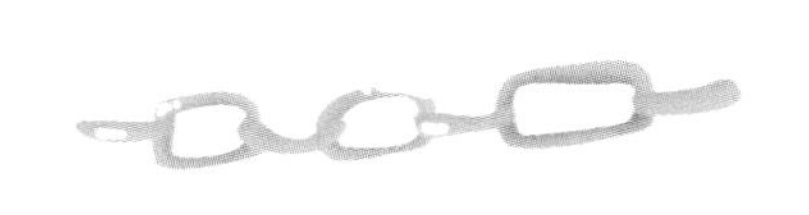

grandinė

chair

kėdė

chalk

kreida

cheek

žandas

cheese

sūris

chef

vyriausiasis virėjas

cherry

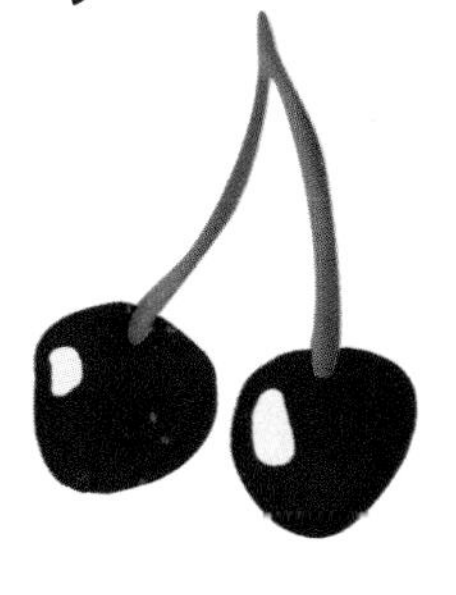

vyšnia

a b c d e f g h i j k l m n o p q r s t u v w x y z

chess

šachmatai

chest

krūtinės ląsta

chick

viščiukas

chilli
US English **chili**

paprika

chimney

kaminas

chin

smakras

chocolate

šokoladas

christmas

kalėdos

church

bažnyčia

cinema

kinas

circle

apskritimas

circus

cirkas

city

miestas

classroom

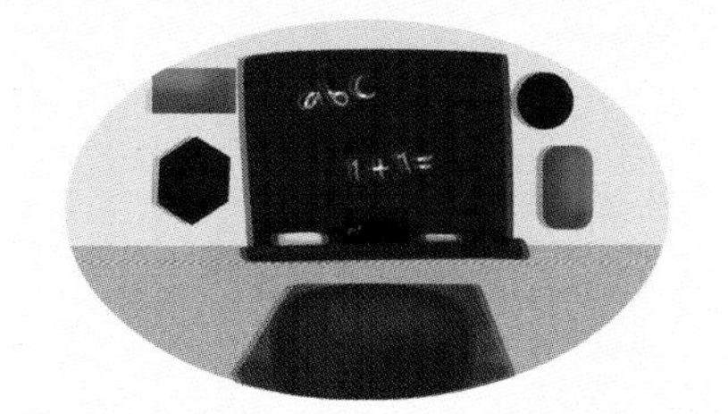

klasė

clinic

klinika

clock

laikrodis

cloth

skuduras

cloud

debesis

clown

klounas

coal

anglis

coast

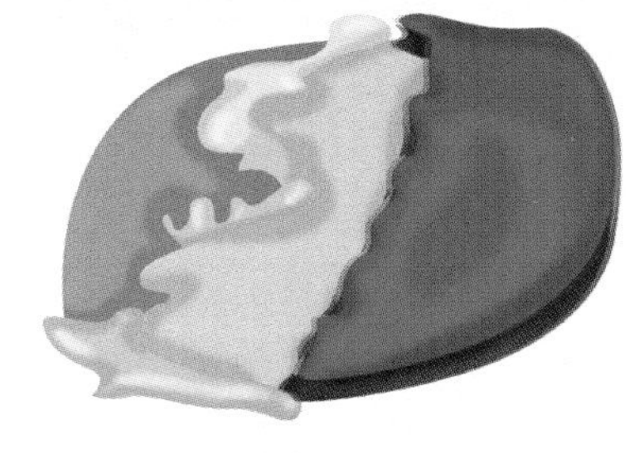

pakrantė

coat

paltas

cobra

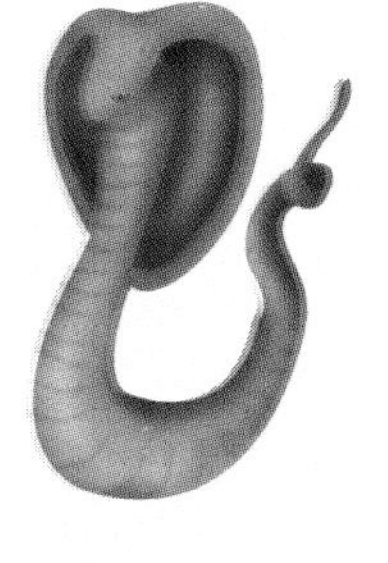

kobra

cockerel
US English **rooster**

gaidys

a b c d e f g h i j k l m n o p q r s t u v w x y z

cockroach

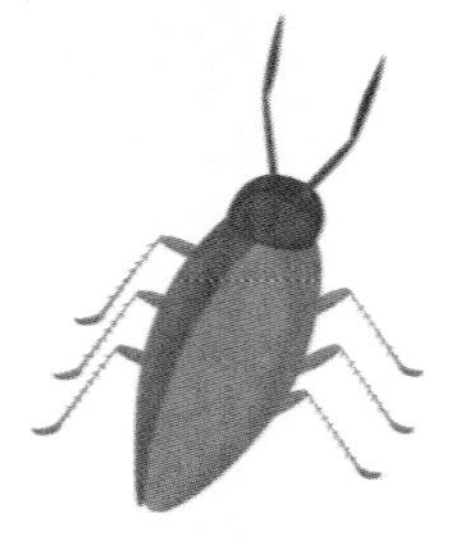

tarakonas

coconut

kokosas

coffee

kava

coin

moneta

colour
US English **color**

spalva

comb

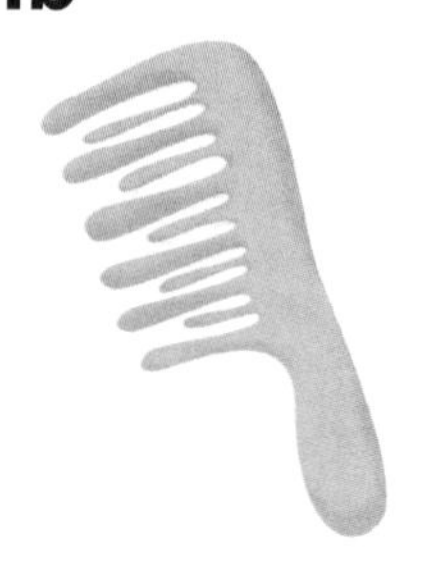

šukos

comet

kometa

compass

kompasas

computer

kompiuteris

cone

kūgis

container

konteineris

cook

virėjas

cookie

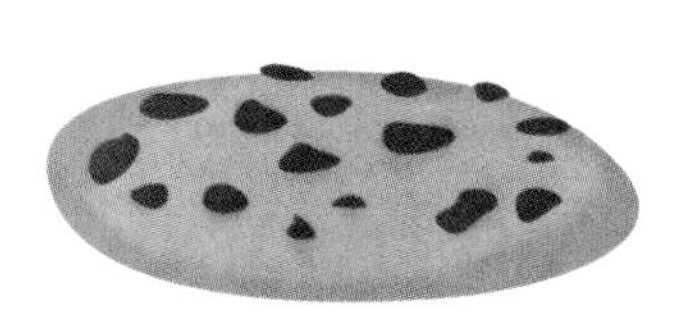

sausainis

cord

laidas

corn

kukurūzas

cot

lopšys

cottage

kotedžas

cotton

medvilnė

country

šalis

couple

pora

court

teismas

cow

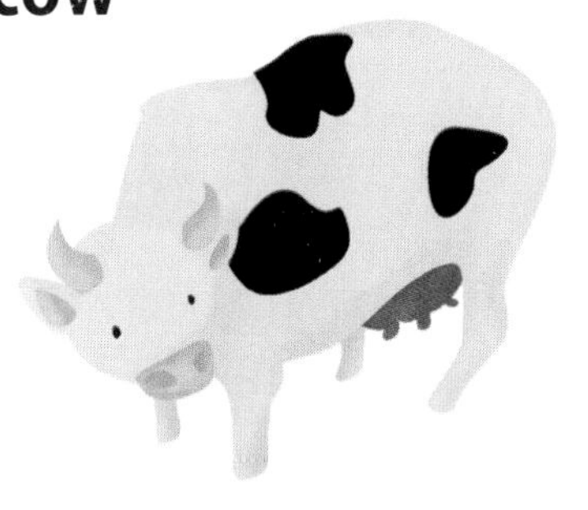

karvė

crab

krabas

crane

kranas

a b c d e f g h i j k l m n o p q r s t u v w x y z

crayon

spalvotas pieštukas

crocodile

krokodilas

cross

kryžius

crow

varna

crowd

minia

crown

karūna

cube

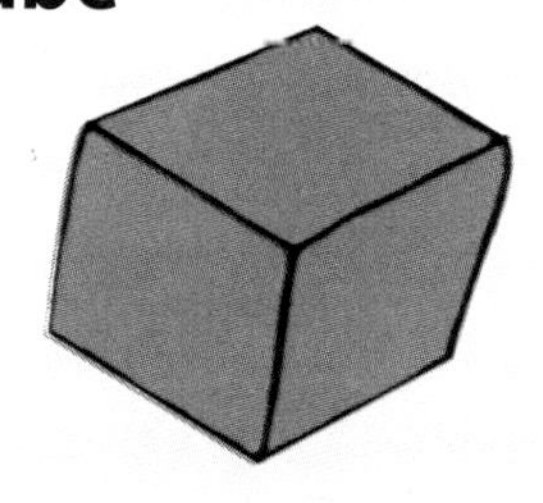

kubas

cucumber

agurkas

cup

puodelis

cupboard

spinta

curtain

užuolaida

cushion

pagalvėlė

Dd

dam

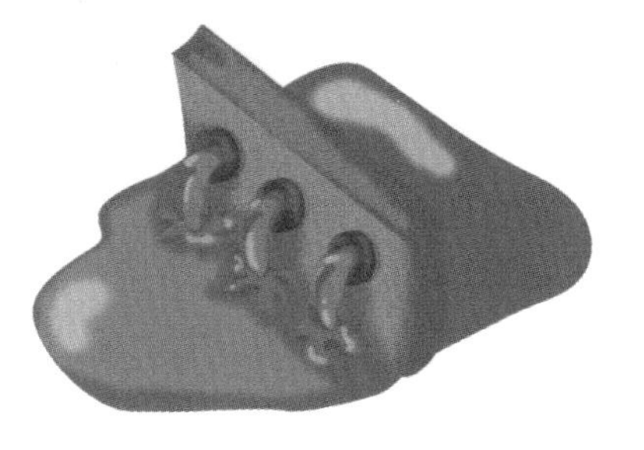

užtvanka

dancer

šokėjas (-a)

dart

smigis

data

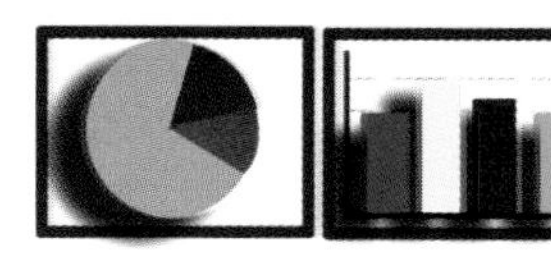

duomenys

date

datulė

daughter

dukra

day

diena

deck

malka

deer

elnias

den

urvas

dentist

dantistas (-ė)

desert

dykuma

design

dizainas

desk

rašomasis stalas

dessert

desertas

detective

detektyvas

diamond

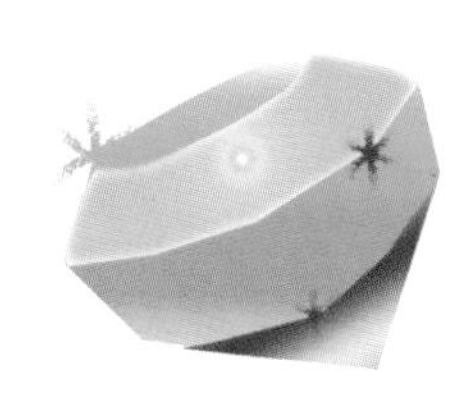

deimantas

diary

dienoraštis

dice

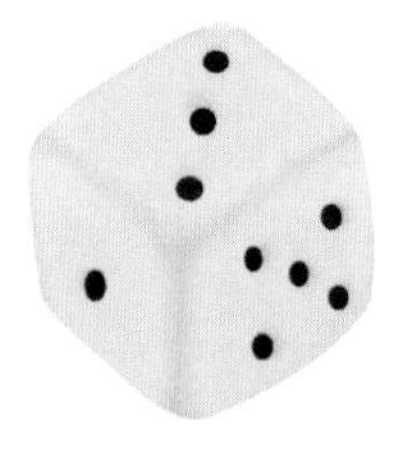

kauliukas

dictionary

žodynas

dinosaur

dinozauras

disc

diskas

dish

patiekalas

diver

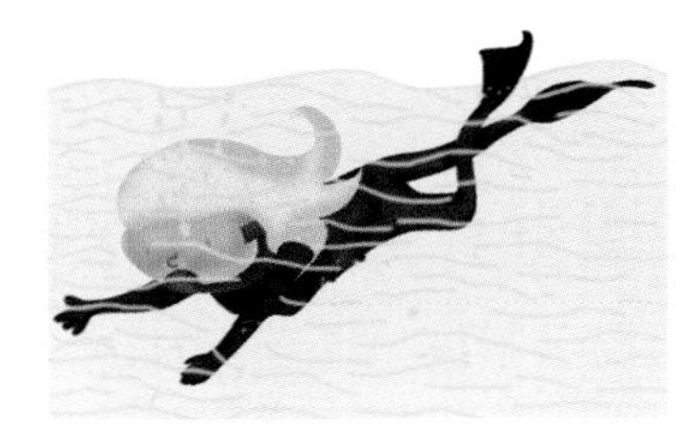

naras

dock

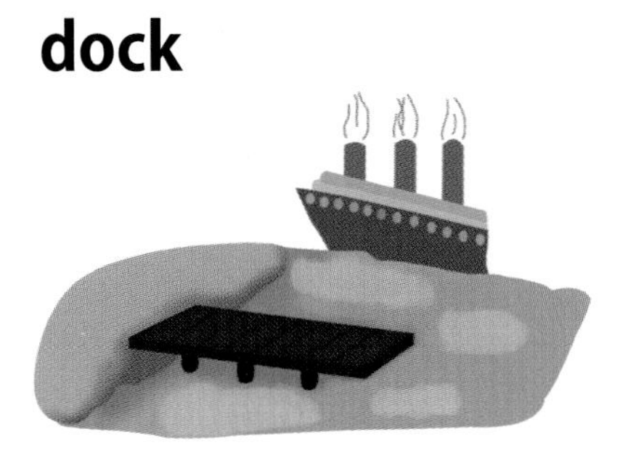

dokas

doctor

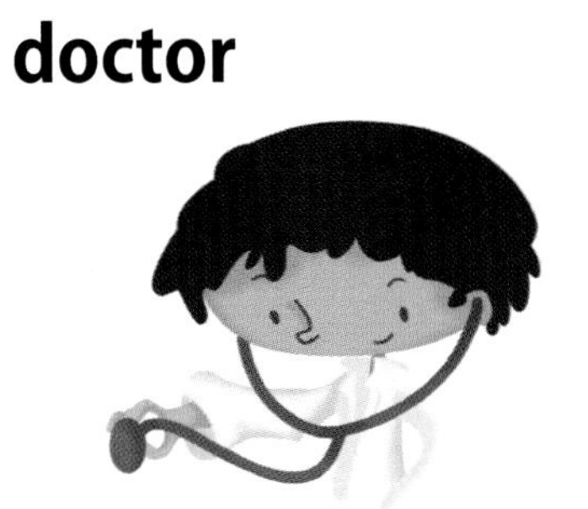

gydytojas (-a)

dog

šuo

doll

lėlė

dolphin

delfinas

dome

kupolas

domino

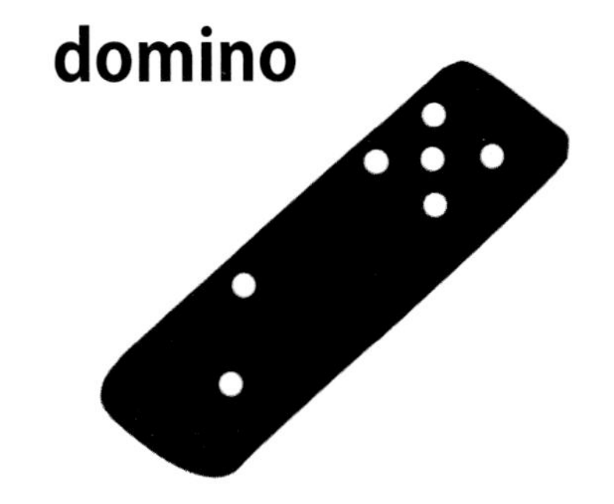

dominas

donkey

asilas

donut

spurga

door

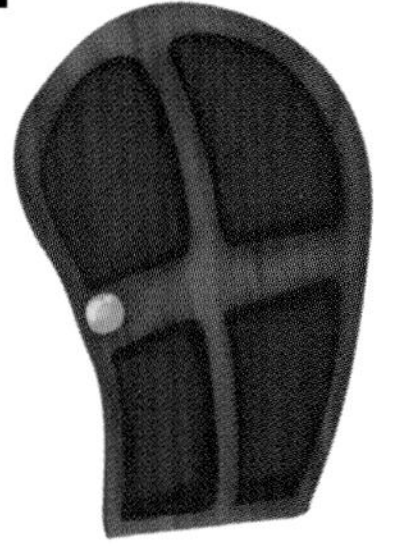

durys

dough

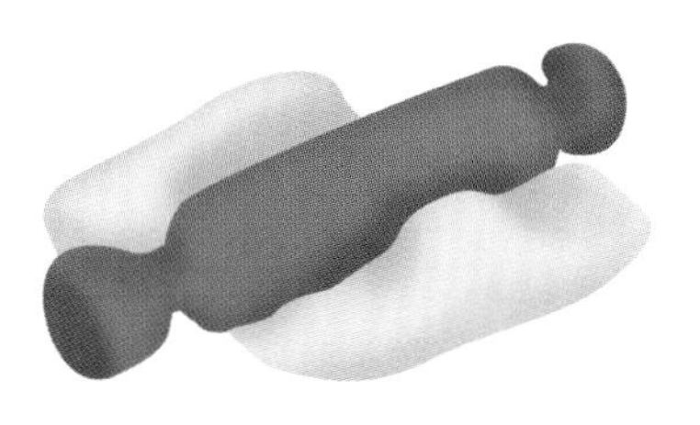

tešla

a b c d e f g h i j k l m n o p q r s t u v w x y z

dragon

drakonas

drain

drenažas

drawer

stalčius

drawing

piešimas

dream

sapnas

dress

suknelė

drink

gėrimas

driver

vairuotojas (-a)

drop

lašas

drought

sausra

drum

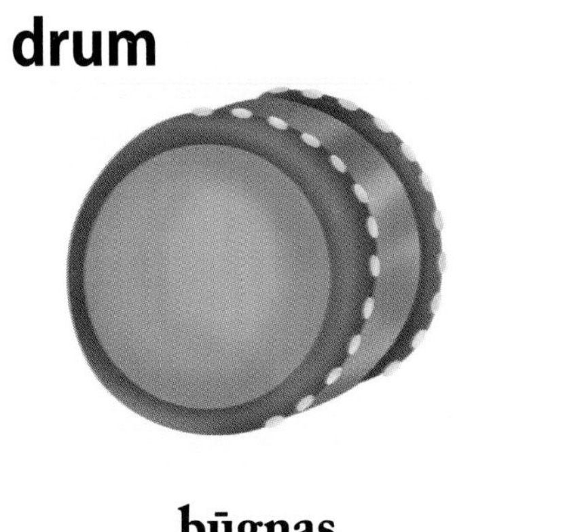

būgnas

duck

antis

dustbin
US English **trash can**

šiukšlių dėžė

duvet

pūkinė

dwarf

nykštukas

Ee

eagle

erelis

ear

ausis

earring

auskaras

earth

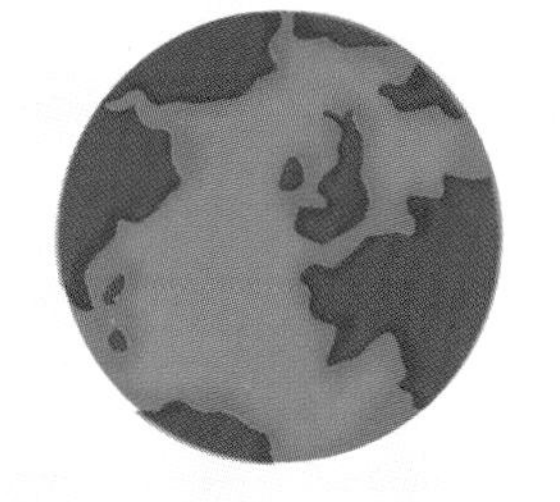

žemė

earthquake

žemės drebėjimas

earthworm

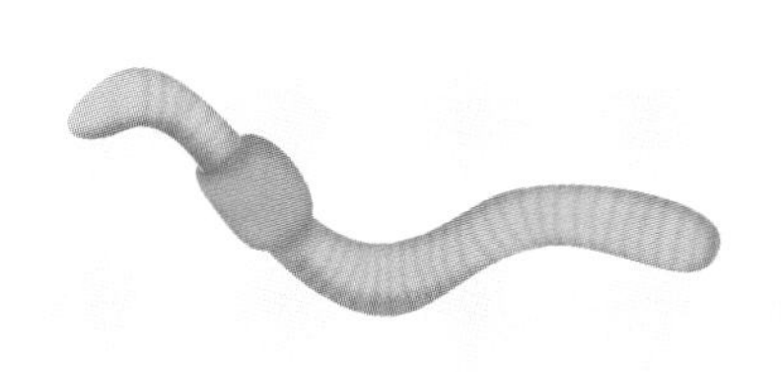

sliekas

eclipse

užtemimas

edge

kraštas

eel
ungurys
egg
kiaušinis
eight
aštuoni
elastic
tamprus (-i)
elbow
alkūnė
electrician
elektrikas
electricity
elektra
elephant
dramblys
elevator
liftas
elf
elfas
email
elektroninis paštas
embroidery
siuvinėjimas

engine

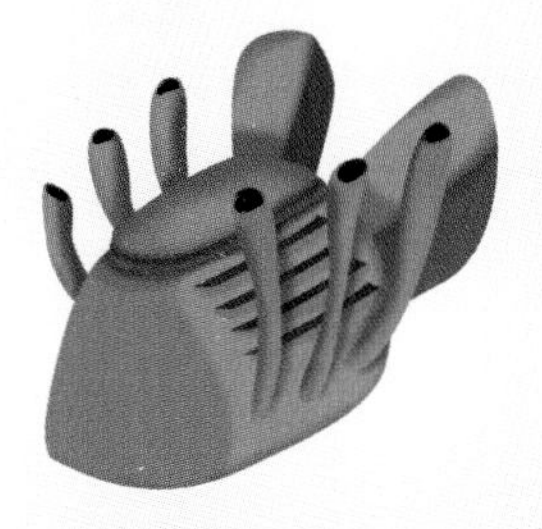

variklis

entrance

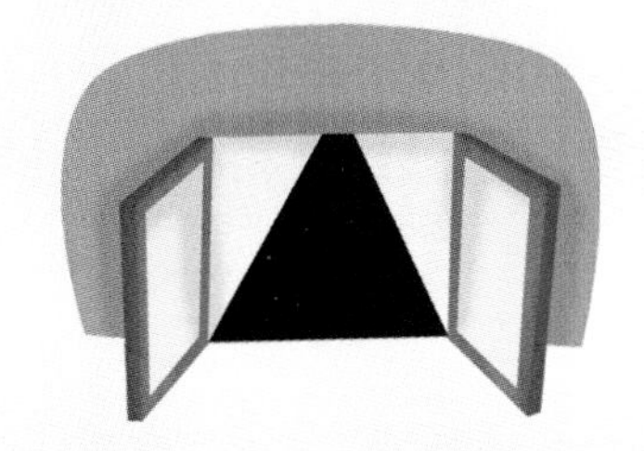

įėjimas

envelope

vokas

equator

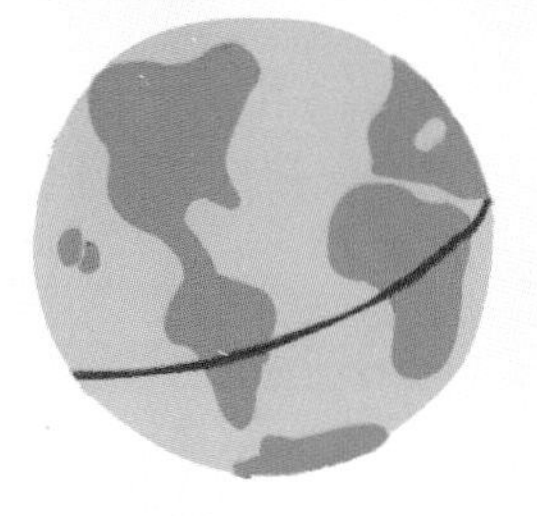

pusiaujas

equipment

įranga

eraser

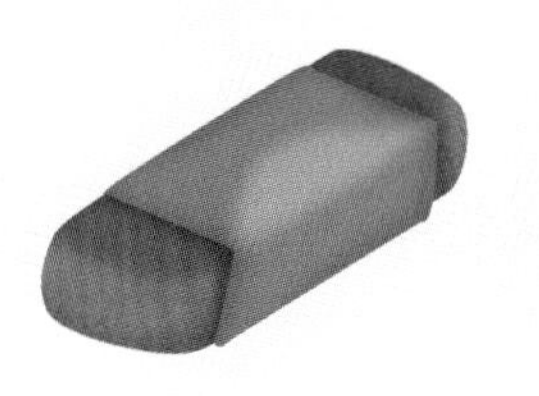

trintukas

escalator

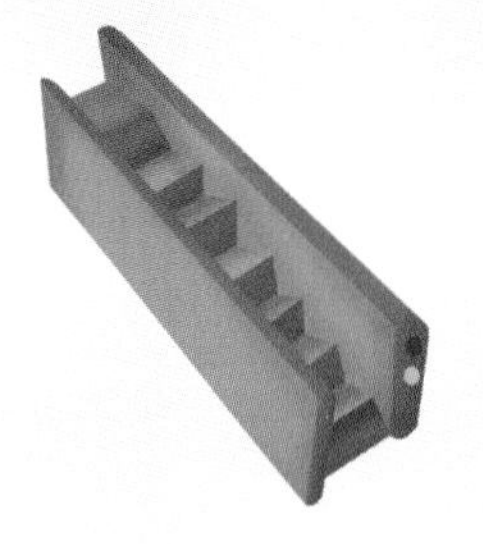

eskalatorius

eskimo

eskimai

evening

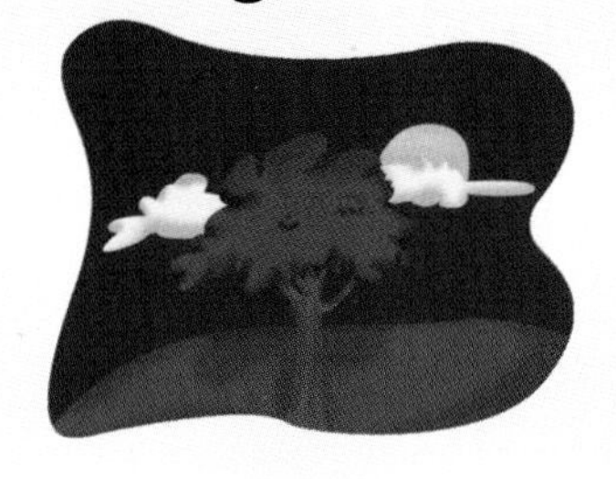

vakaras

exhibition

paroda

eye

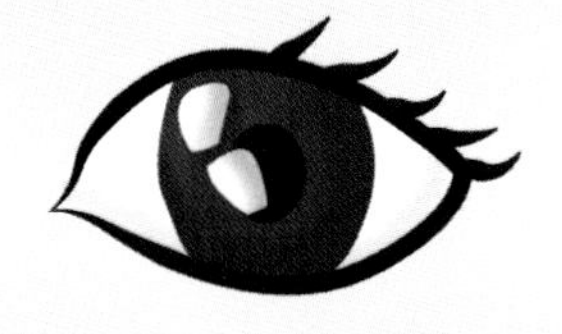

akis

eyebrow

antakis

Ff

fabric

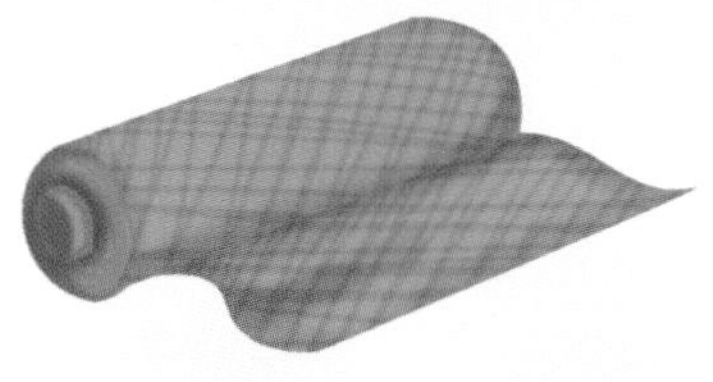
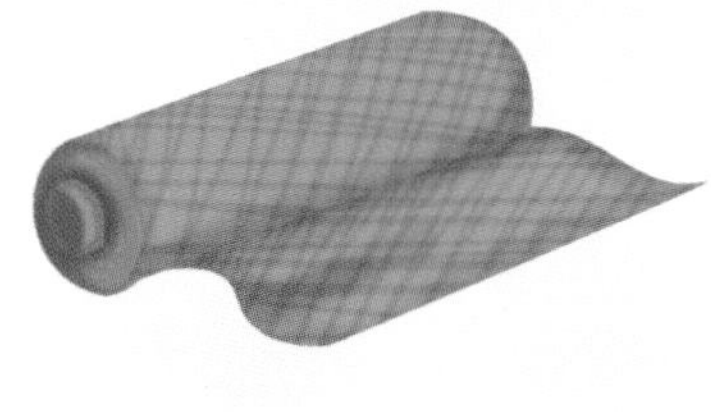

audinys

face

veidas

factory

gamykla

fairy

fėja

family

šeima

fan

vėduoklė

farm

ūkis

farmer

ūkininkas (-ė)

fat

storas (-a)

father

tėvas

feather

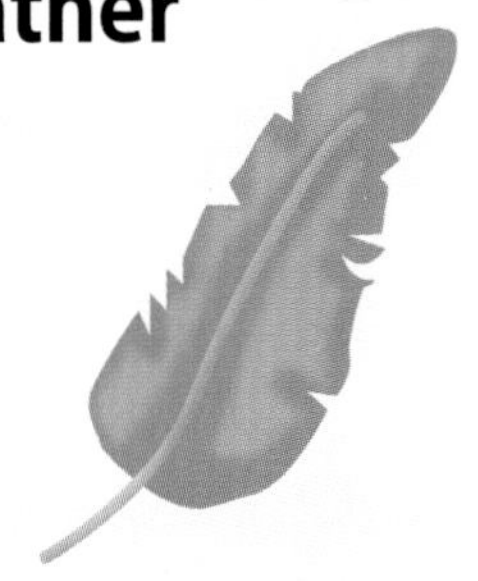

plunksna

female

moteris

fence

tvora

ferry

keltas

field

laukas

fig

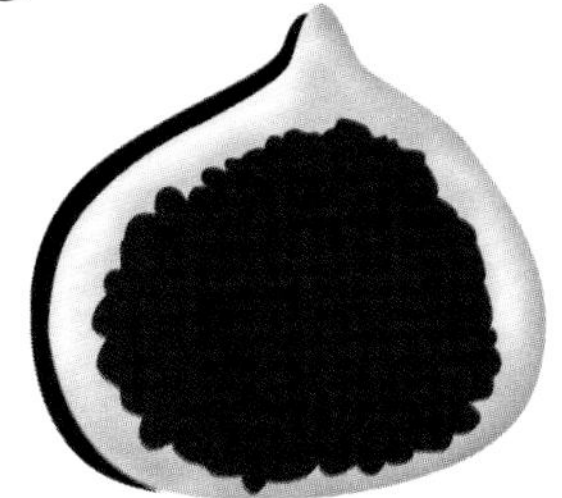

figa

file

aplankas

film

filmas

finger

pirštas

fire

ugnis

fire engine

gaisrinis automobilis

fire fighter

gaisrininkas (-ė)

fireworks

fejerverkai

fish

žuvis

fist

kumštis

five

penki

flag

vėliava

flame

liepsna

flamingo

flamingas

flask

kolba

flock

banda

flood

potvynis

floor

grindys

florist

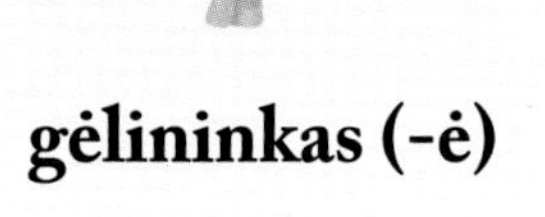

gėlininkas (-ė)

flour

miltai

flower

gėlė

flute

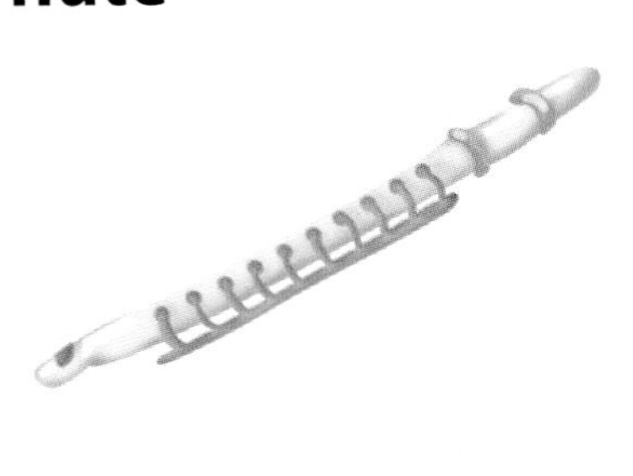

fleita

fly

musė

foam

puta

fog

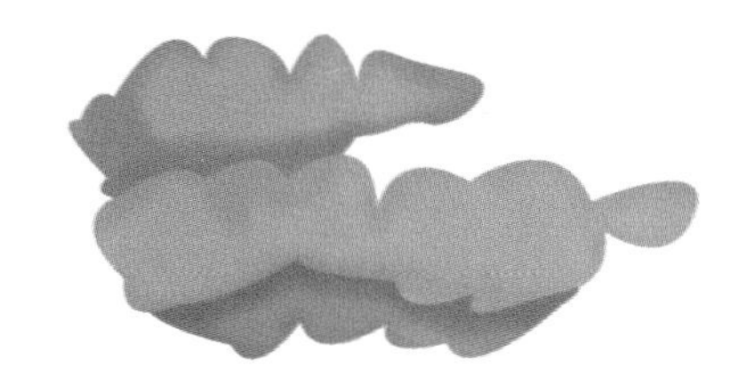

rūkas

foil

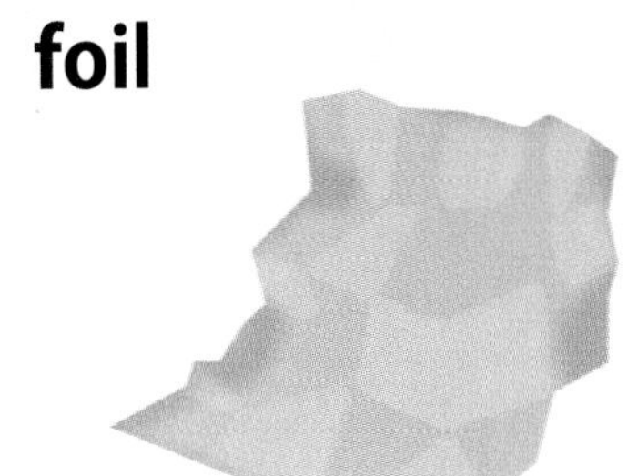

folija

food

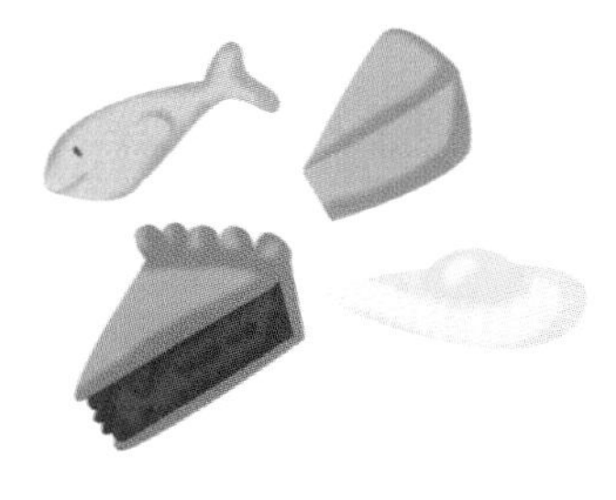

maistas

foot

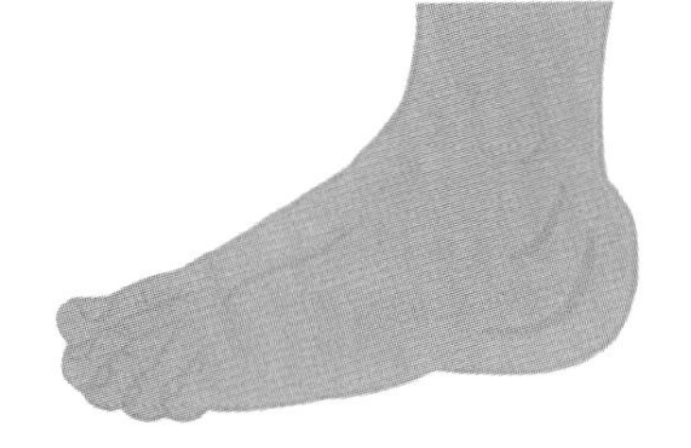

pėda

football

futbolas

forearm

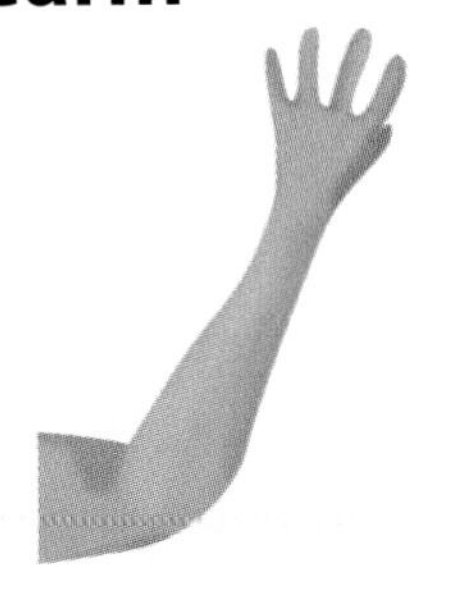

dilbis

forehead

kakta

forest

miškas

a b c d e f g h i j k l m n o p q r s t u v w x y z

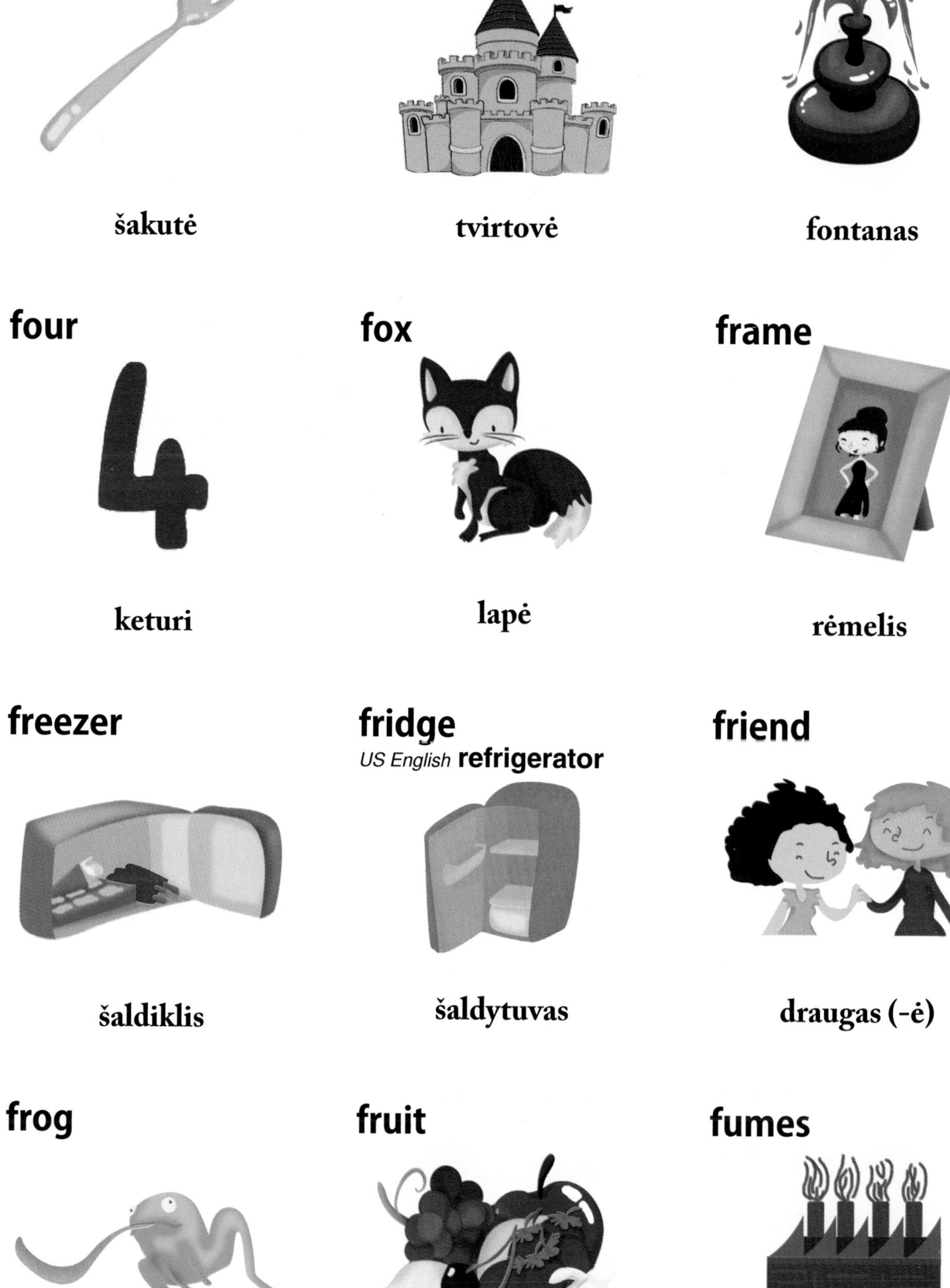

fork

šakutė

fortress

tvirtovė

fountain

fontanas

four

keturi

fox

lapė

frame

rėmelis

freezer

šaldiklis

fridge
US English **refrigerator**

šaldytuvas

friend

draugas (-ė)

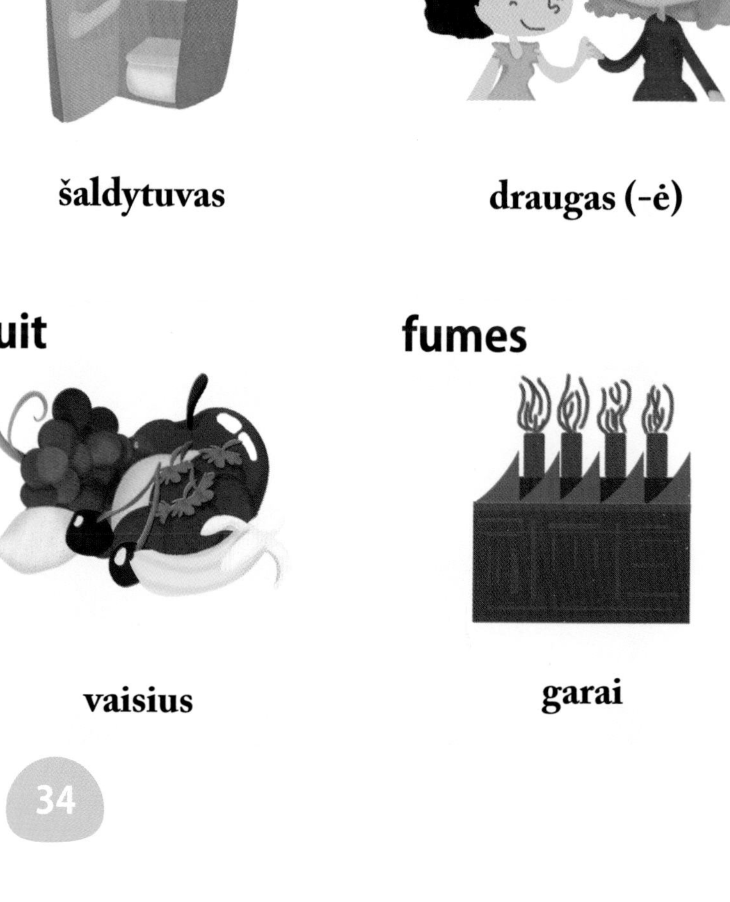

frog

varlė

fruit

vaisius

fumes

garai

funnel

piltuvėlis

furnace

krosnis

furniture

baldai

Gg

gadget

įtaisas

gallery

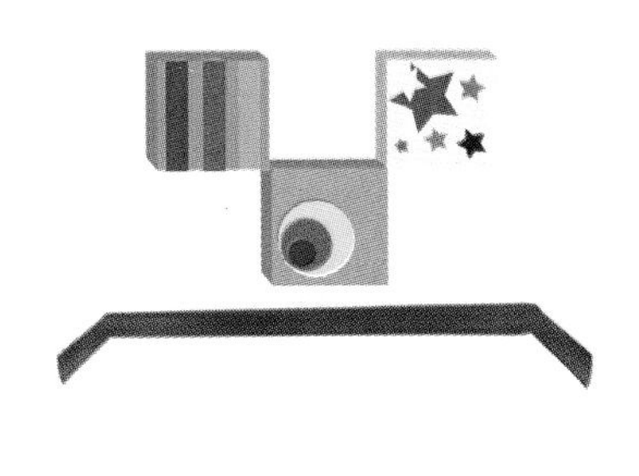

galerija

game

žaidimas

gap

tarpas

garage

garažas

garbage

atliekos

garden

sodas

garland

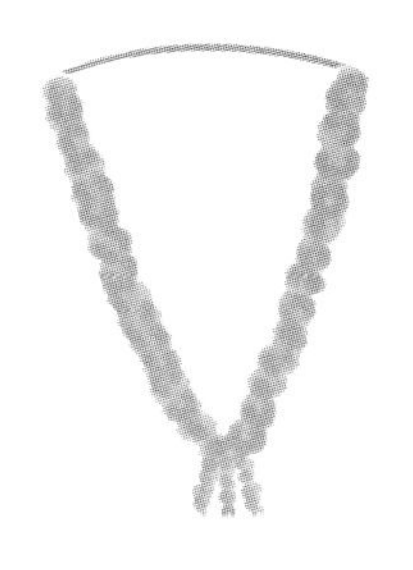

girlianda

a
b
c
d
e
f
g
h
i
j
k
l
m
n
o
p
q
r
s
t
u
v
w
x
y
z

garlic

česnakas

gas

dujos

gate

vartai

gem

brangakmenis

generator

generatorius

germ

bakterija

geyser

geizeris

ghost

vaiduoklis

giant

milžinas

gift

dovana

ginger

imbieras

giraffe

žirafa

girl
mergaitė

glacier
ledynas

glass
stiklas

glider
sklandytojas (-a)

globe
gaublys

glove
pirštinė

glue
klijai

goal
vartai

goat
ožys

gold
auksas

golf
golfas

goose
žąsis

gorilla

gorila

grain

grūdas

grandfather

senelis

grandmother

senelė

grape

vynuogė

grapefruit

greipfrutas

grass

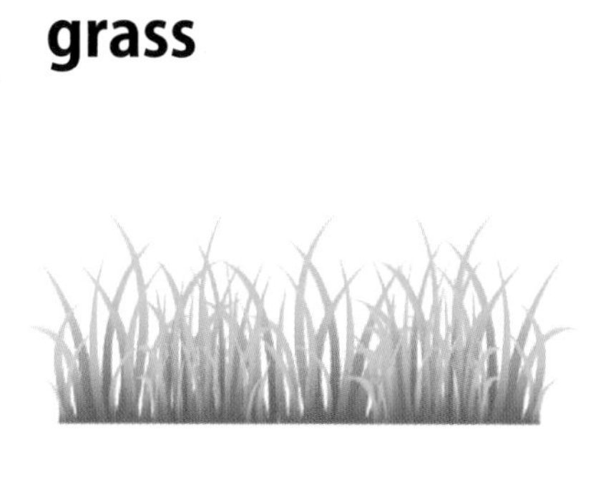

žolė

grasshopper

žiogas

gravel

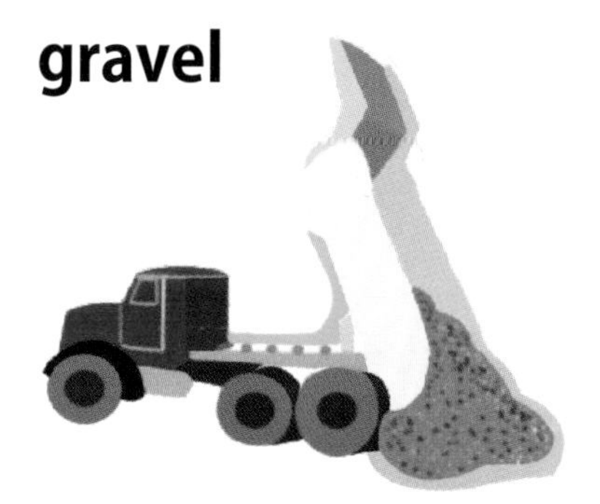

žvyras

green

žalias (-a)

grey

pilkas (-a)

grill

grotelės

grocery

bakalėja

ground

žemė

guard

apsauga

guava

guajava

guide

gidas (-ė)

guitar

gitara

gulf

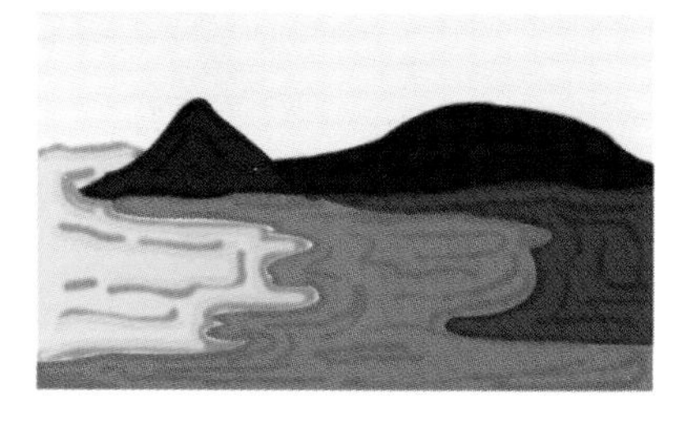

įlanka

gun

šaunamasis ginklas

gypsy

čigonas

Hh

hair

plaukai

hairbrush

plaukų šepetys

a b c d e f g h i j k l m n o p q r s t u v w x y z

a
b
c
d
e
f
g
h
i
j
k
l
m
n
o
p
q
r
s
t
u
v
w
x
y
z

hairdresser

kirpėjas (-a)

half

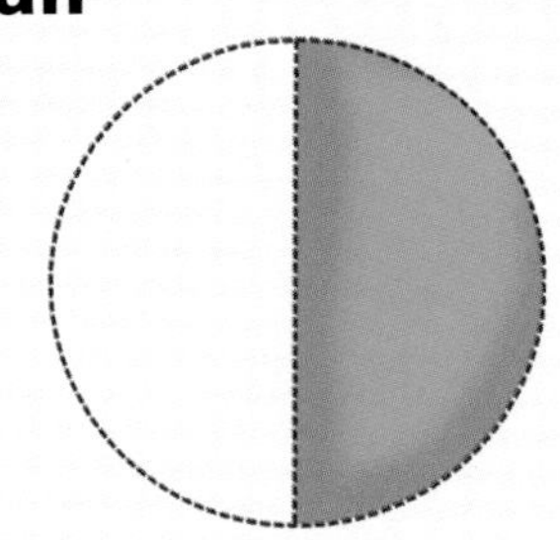

pusė

hall

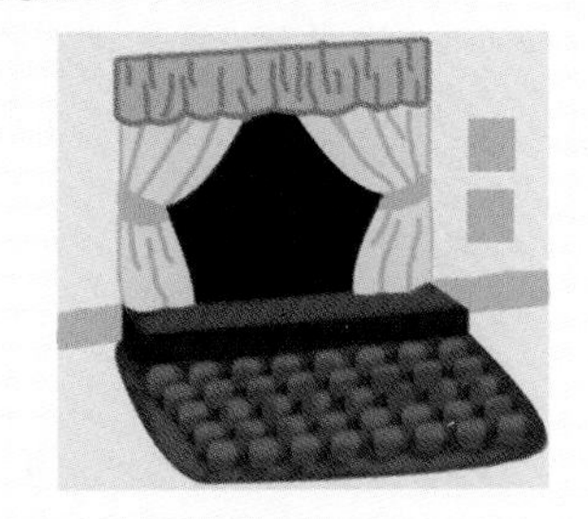

salė

ham

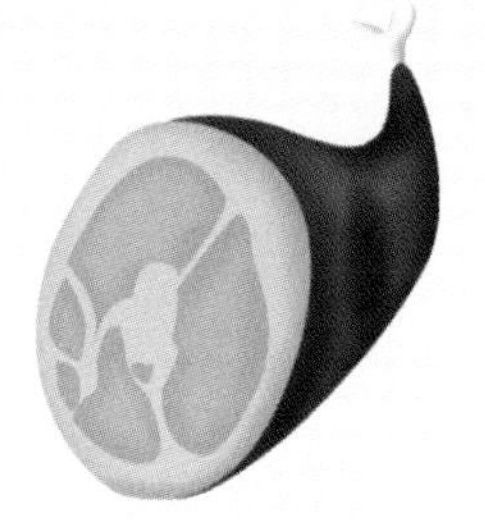

kumpis

hammer

plaktukas

hammock

hamakas

hand

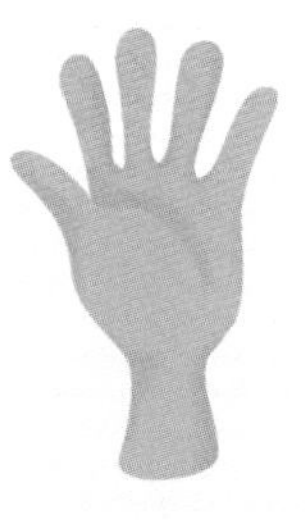

plaštaka

handbag

rankinukas

handicraft

tamatas

handkerchief

nosinė

handle

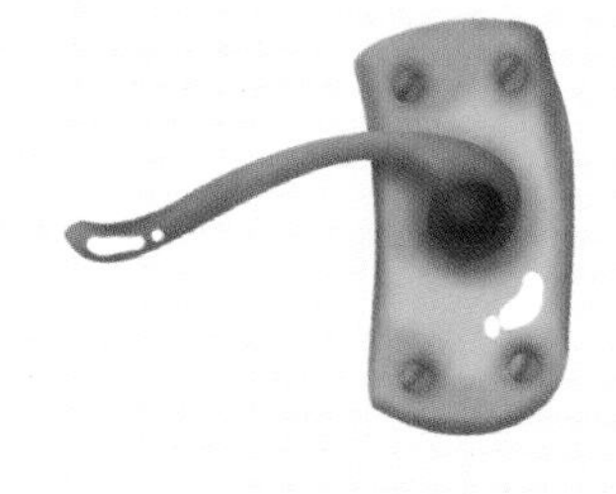

rankena

hanger

pakaba

harbour
US English **harbor**

uostas

hare

kiškis

harvest

derlius

hat

skrybėlė

hawk

vanagas

hay

šienas

head

galva

headphone

ausinės

heap

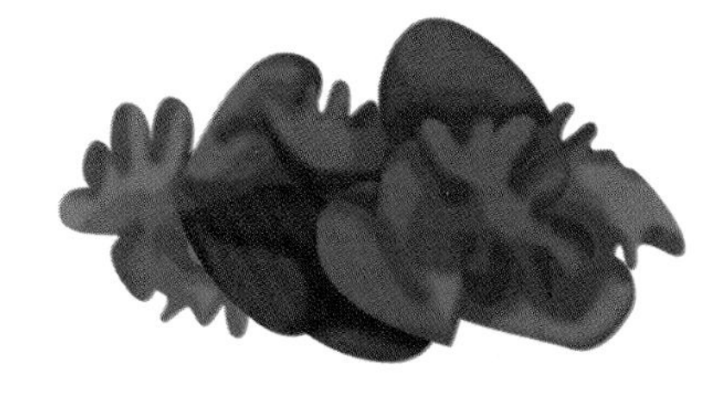

krūva

heart

širdis

heater

šildytuvas

hedge

gyvatvorė

heel

kulnas

helicopter

sraigtasparnis

helmet

šalmas

hen

višta

herb

žolė

herd

banda

hermit

atsiskyrėlis (-ė)

hill

kalva

hippopotamus

hipopotamas

hive

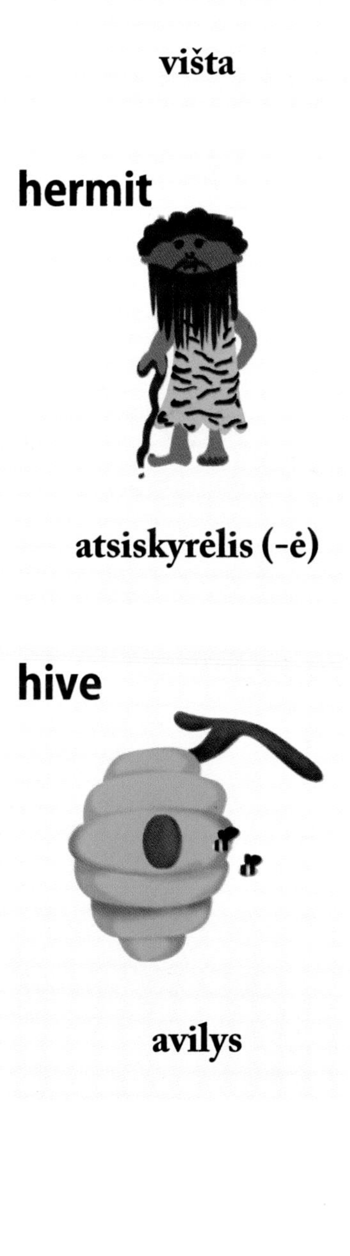

avilys

hole

duobė

honey

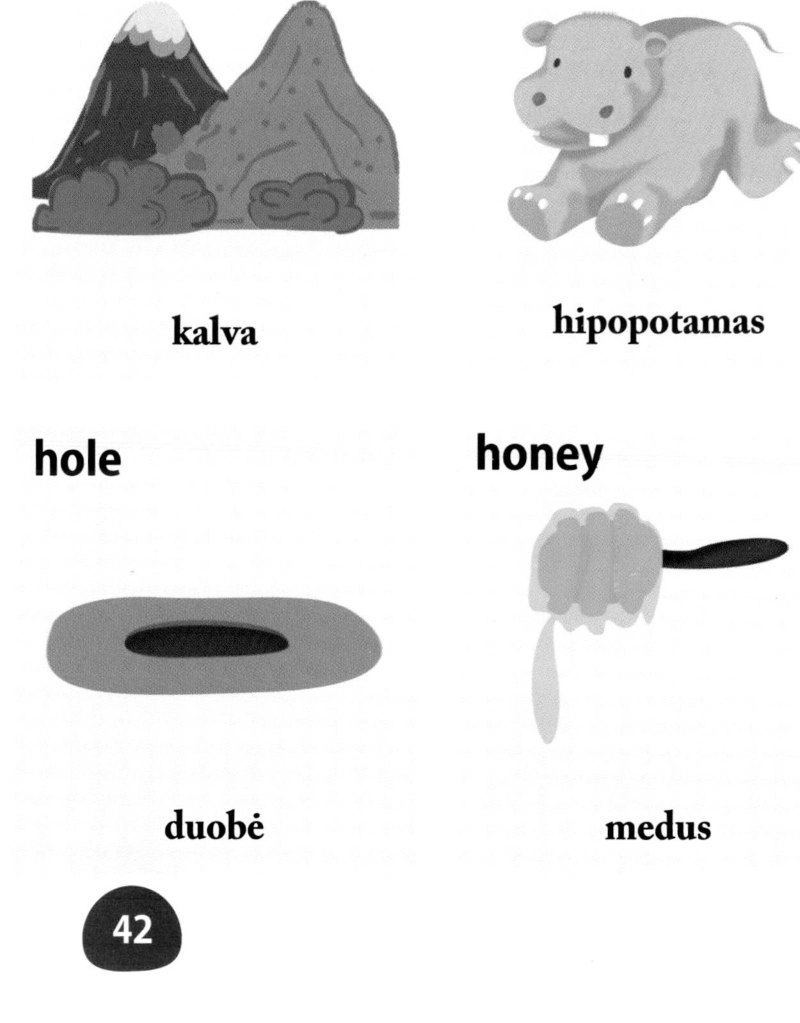

medus

hood

gobtuvas

hook

kablys

horn

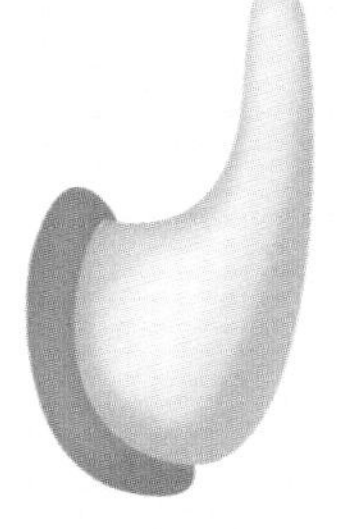

ragas

horse

arklys

hose

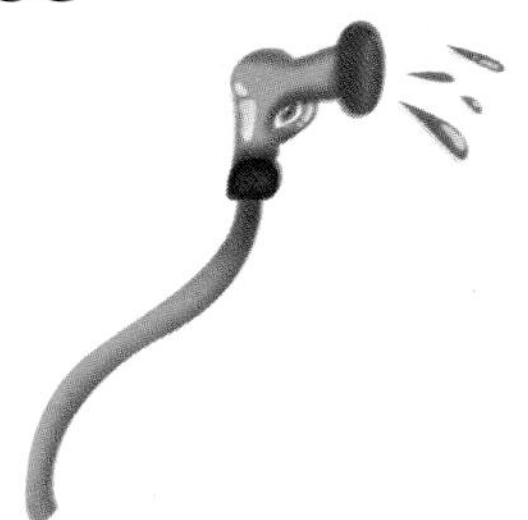

žarna

hospital

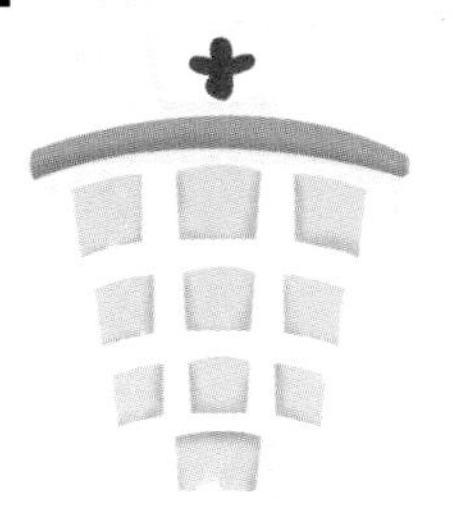

ligoninė

hotdog

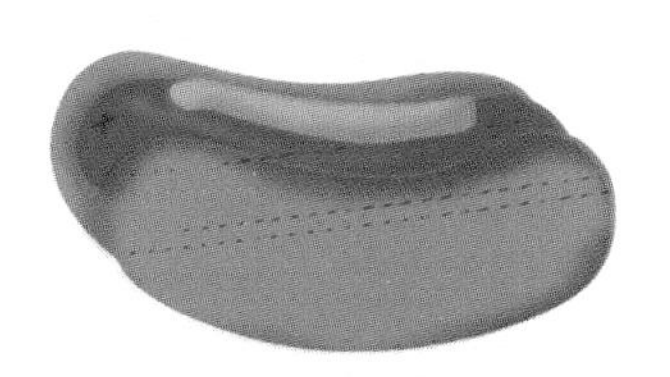

dešrainis

hotel

viešbutis

hour

valanda

house

namas

human

žmogus

hunter

medžiotojas (-a)

a b c d e f g h i j k l m n o p q r s t u v w x y z

hurricane

uraganas

husband

vyras

hut

namelis

Ii

ice

ledas

iceberg

ledkalnis

ice cream

ledai

idol

stabas

igloo

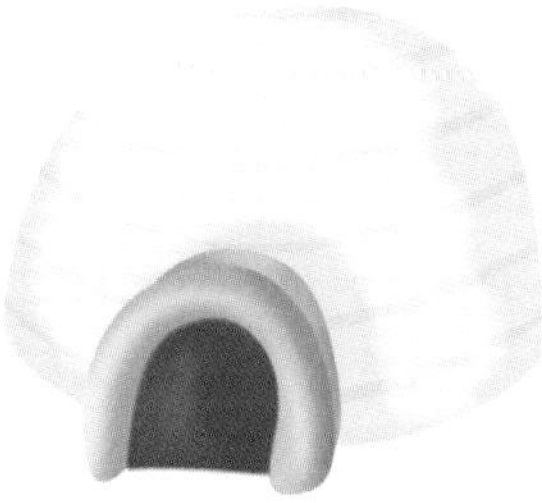

iglu

inch

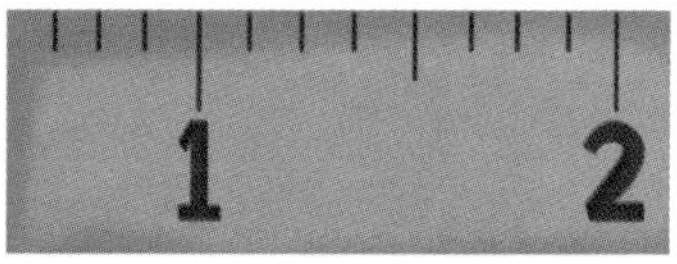

colis

injection

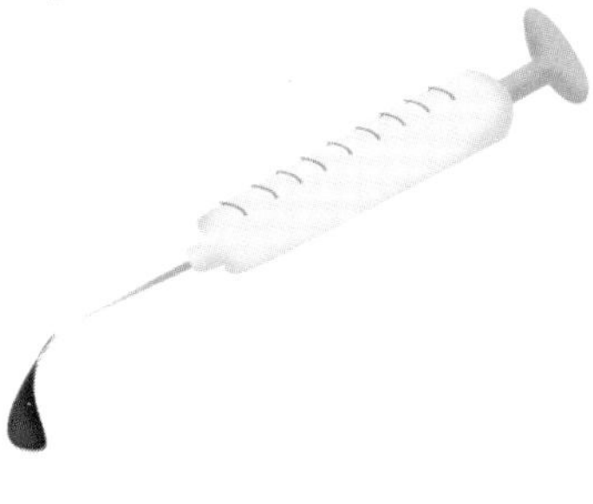

injekcija

injury

sužalojimas

ink

rašalas

inn

smuklė

insect

vabzdys

inspector

inspektorius (-ė)

instrument

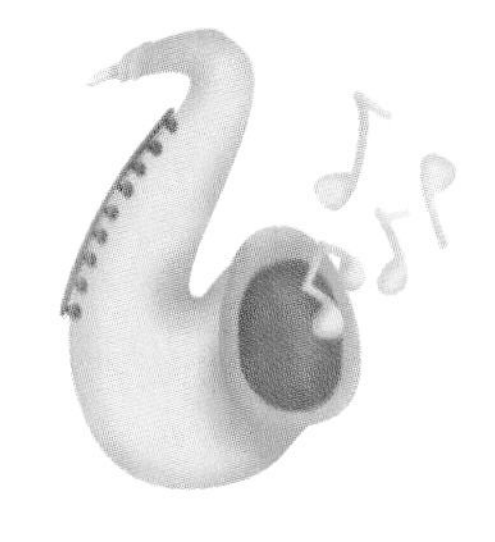

instrumentas

internet

internetas

intestine

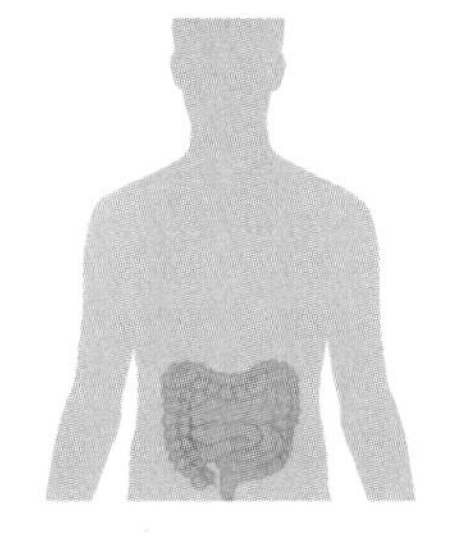

žarnynas

inventor

išradėjas (-a)

invitation

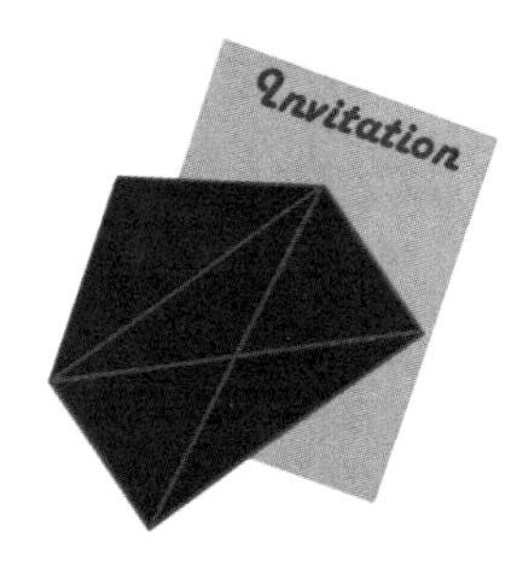

kvietimas

iron

lygintuvas

island

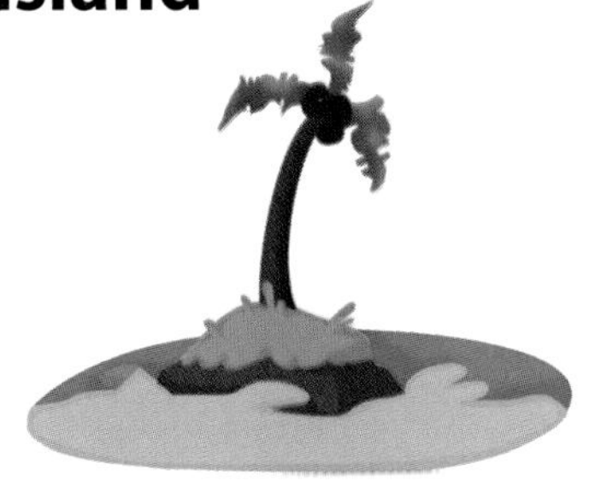

sala

ivory

dramblio kaulas

jackal

šakalas

jacket

švarkas

jackfruit

duonvaisis

jam

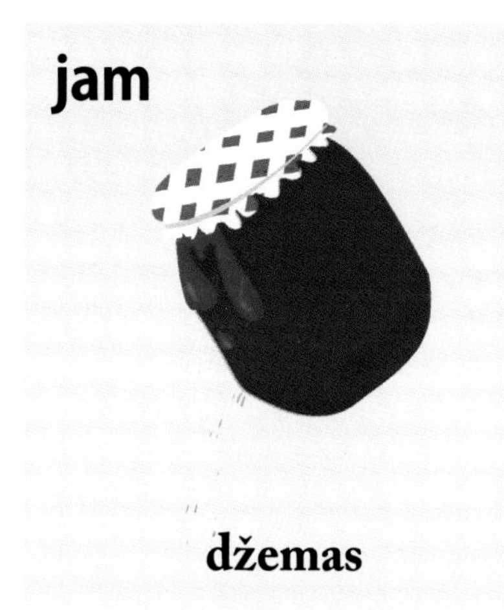

džemas

jar

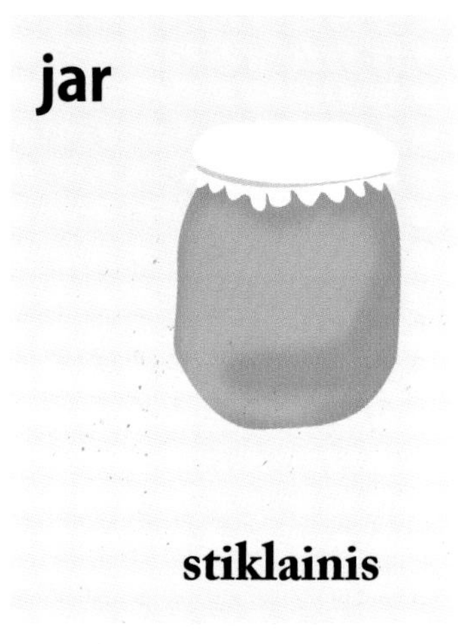

stiklainis

javelin

akstis

jaw

žandikaulis

jeans

džinsai

jelly

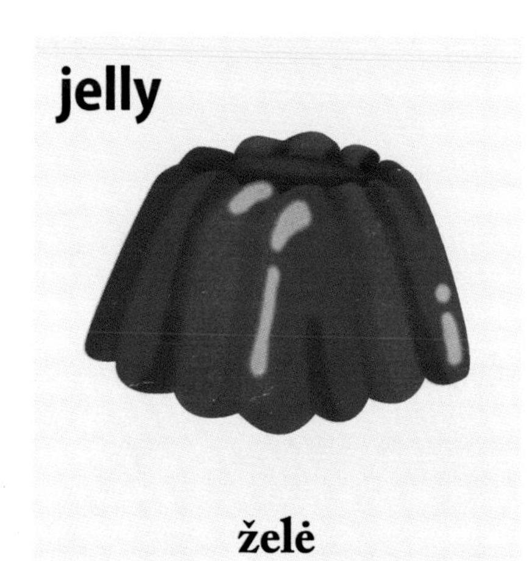

želė

jetty

molas

jewellery
US English **jewelry**

juvelyriniai dirbiniai

jigsaw

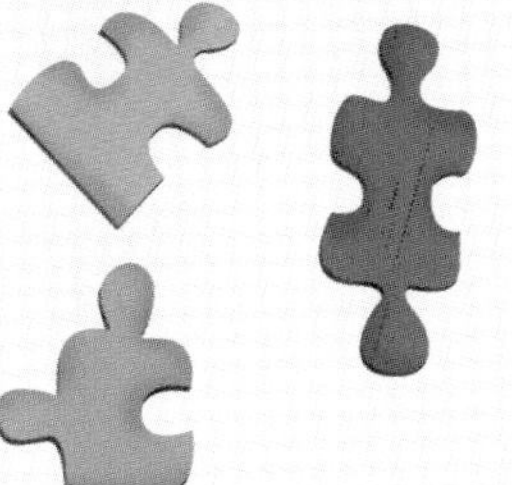

dėlionė

jockey

žokėjus

joker

juokdarys

journey

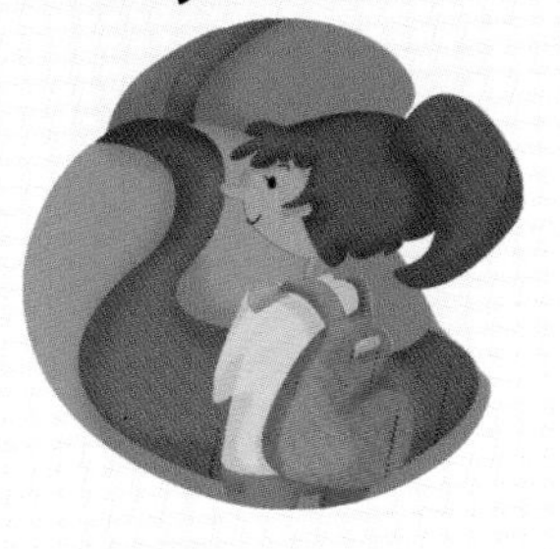

kelionė

jug

ąsotis

juggler

žonglierius (-ė)

juice

sultys

jungle

džiunglės

jute

džiutas

Kk

kangaroo

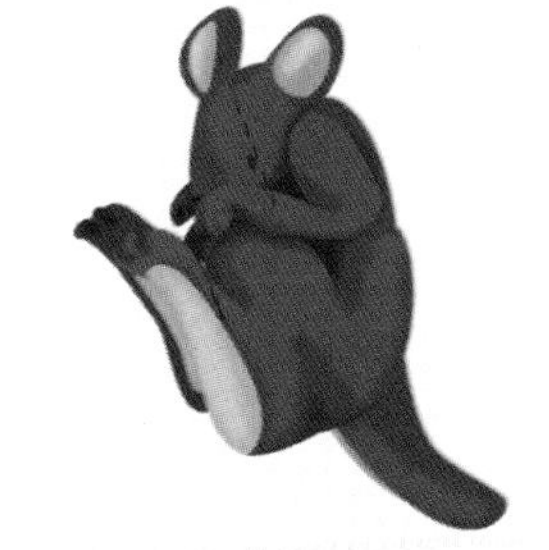

kengūra

kennel

šuns būda

kerb
US English **curb**

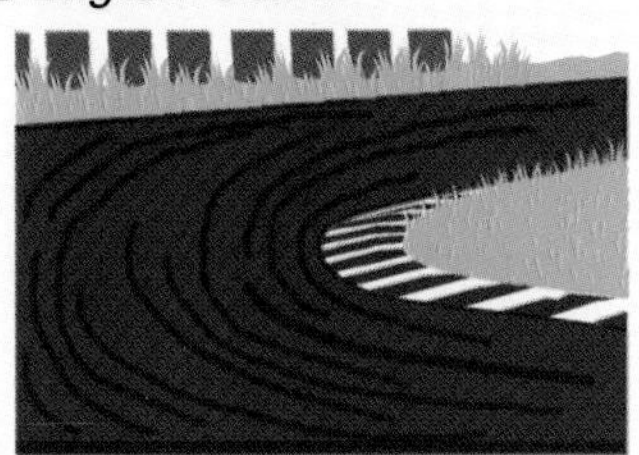

bordiūras

kerosene

žibalas

ketchup

kečupas

kettle

virdulys

key

raktas

keyboard

klaviatūra

key ring

raktų pakabukas

kidney

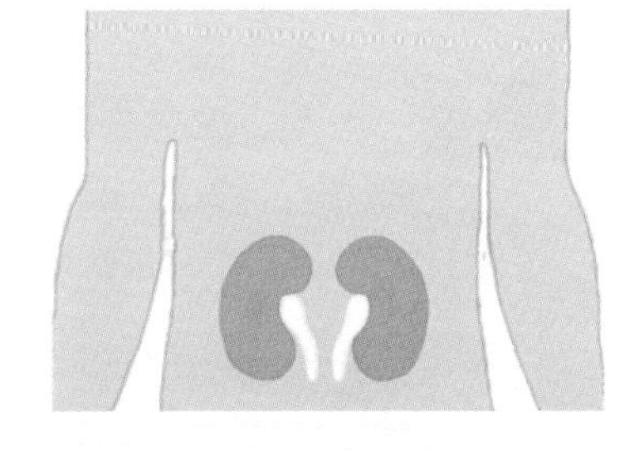

inkstas

kilogram

kilogramas

king

karalius

kiosk

kioskas

kiss

bučinys

kitchen

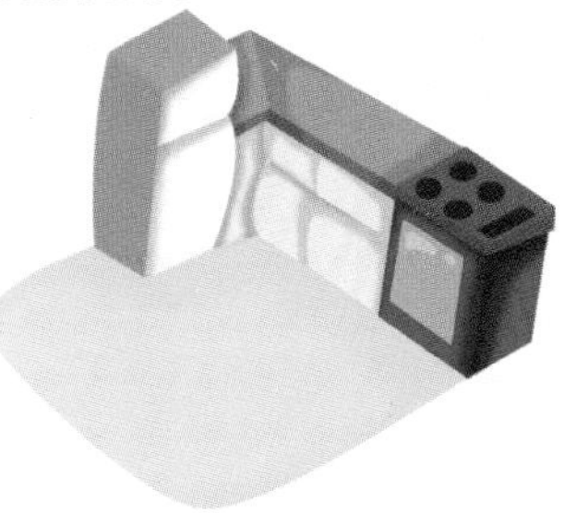

virtuvė

kite

aitvaras

kitten

kačiukas

kiwi

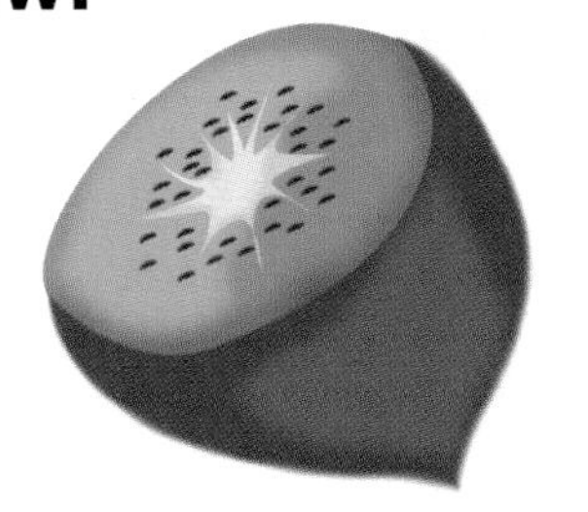

kivis

knee

kelis

knife

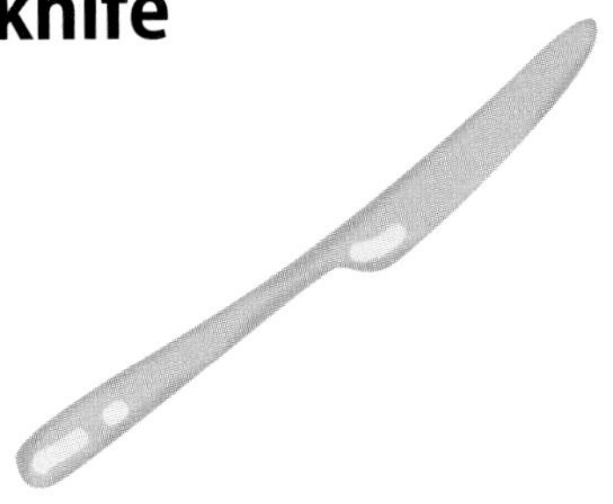

peilis

knight

riteris

knitwear

trikotažas

knob

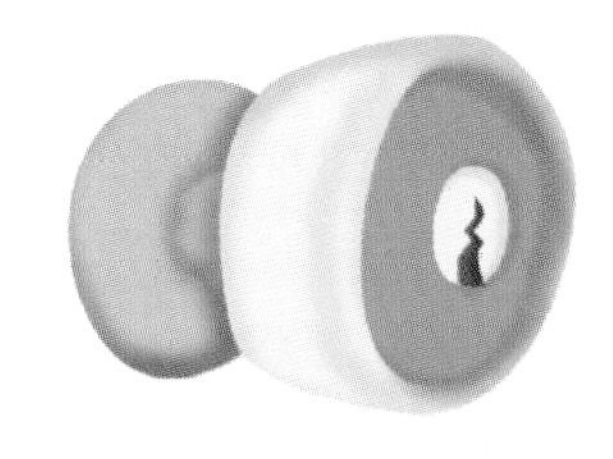

rankena

knock

beldimas

knot

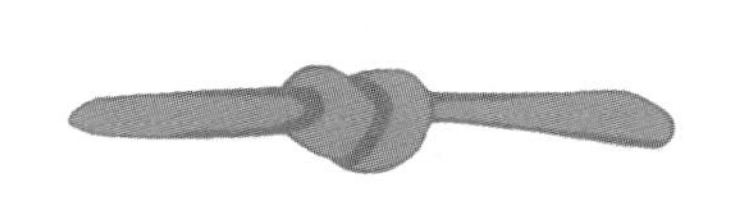

mazgas

knuckle

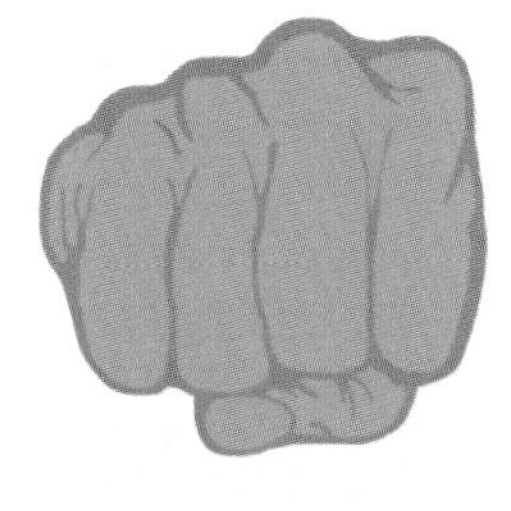

piršto sąnarys

a b c d e f g h i j k l m n o p q r s t u v w x y z

a
b
c
d
e
f
g
h
i
j
k
l
m
n
o
p
q
r
s
t
u
v
w
x
y
z

Ll

label

etiketė

laboratory

laboratorija

lace

batraištis

ladder

kopėčios

lady

ponia

ladybird

US English **ladybug**

boružė

lagoon

lagūna

lake

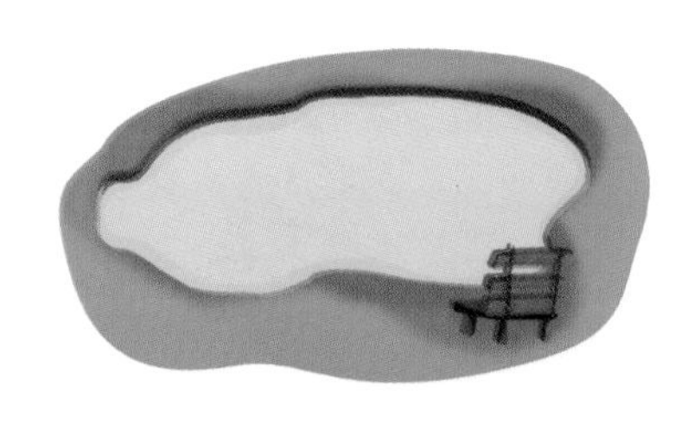

ežeras

lamb

ėriukas

lamp

lempa

lamp post

žibinto stulpas

land

žemė

lane

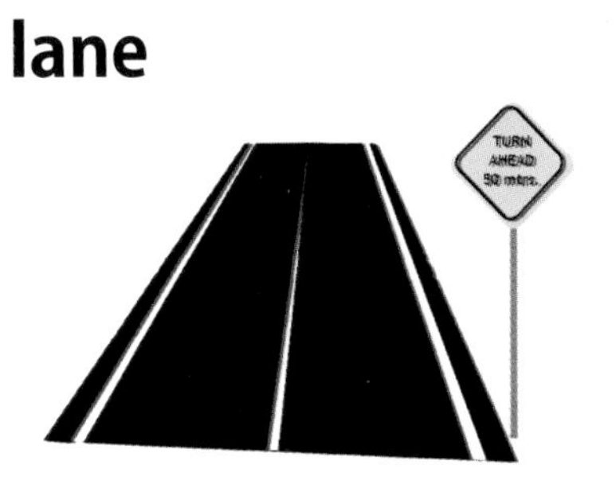

juosta

lantern

žibintas

laser

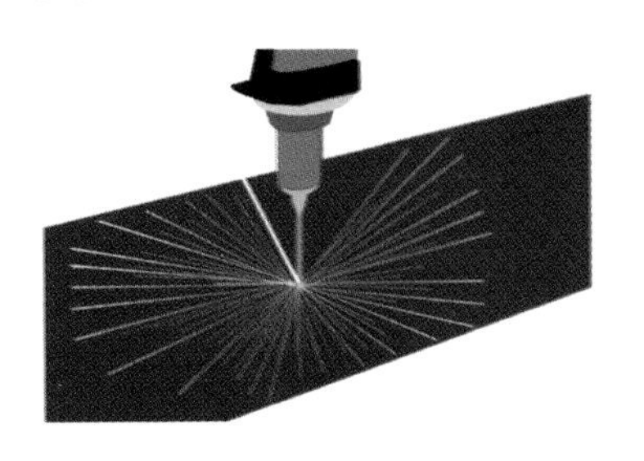

lazeris

lasso

lasas

latch

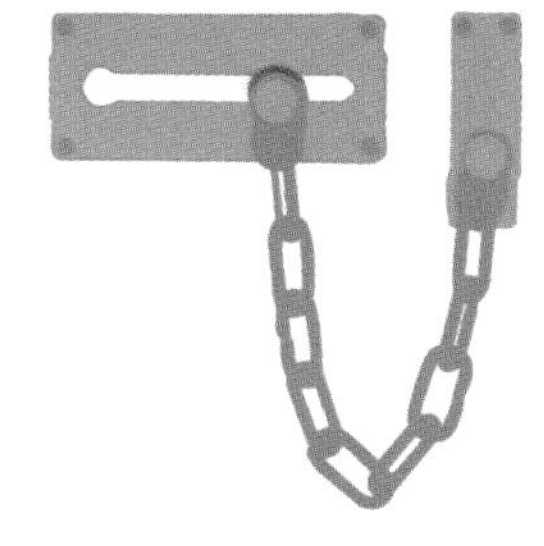

velkė

laundry

skalbiniai

lawn

veja

lawyer

teisininkas (-ė)

layer

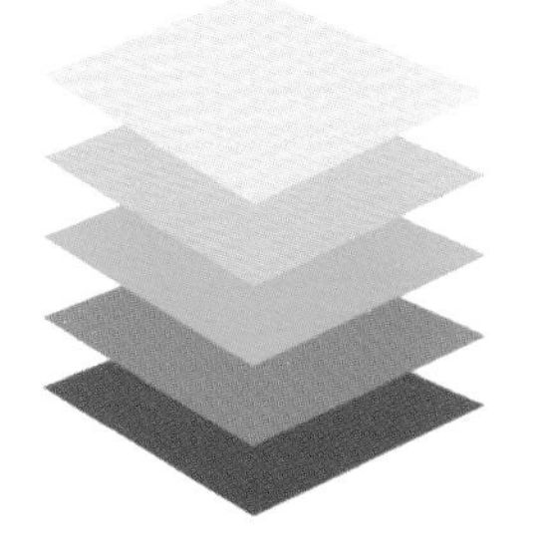

sluoksnis

leaf

lapas

leather

oda

maple

klevas

marble

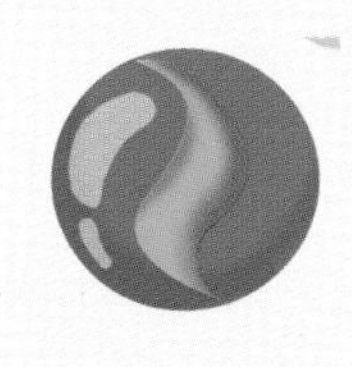

stiklo rutuliukas

market

turgus

mask

kaukė

mast

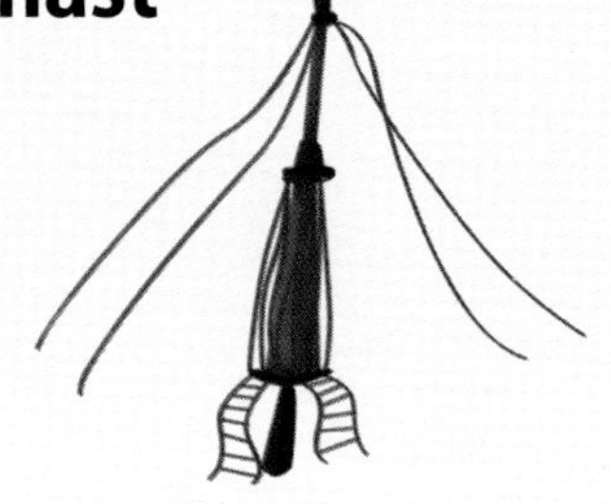

stiebas

mat

kilimėlis

matchbox

degtukai

mattress

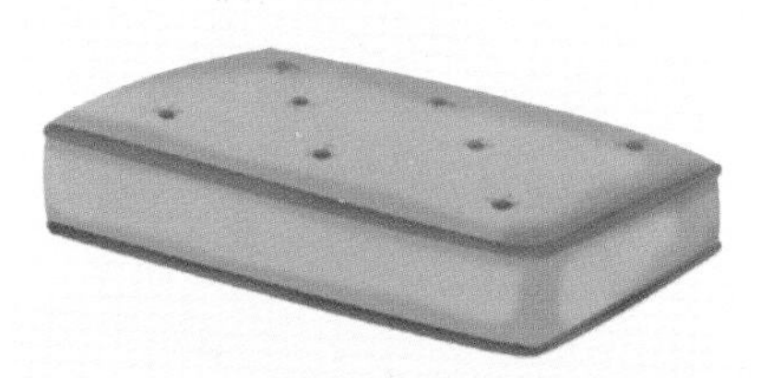

čiužinys

meal

valgis

meat

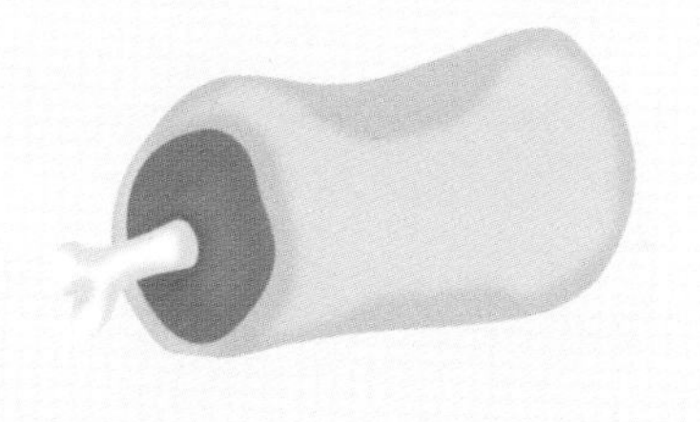

mėsa

mechanic

mechanikas (-ė)

medicine

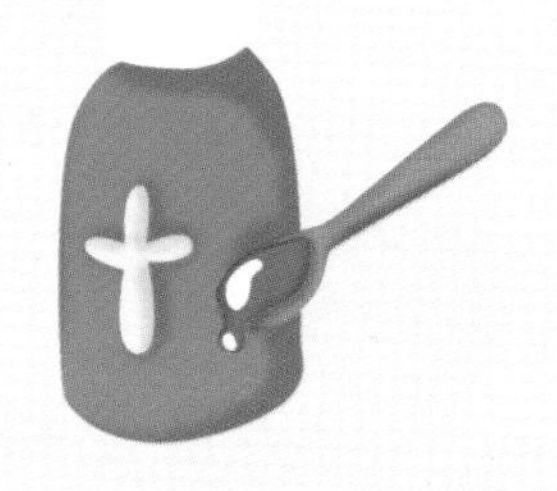

vaistas

land

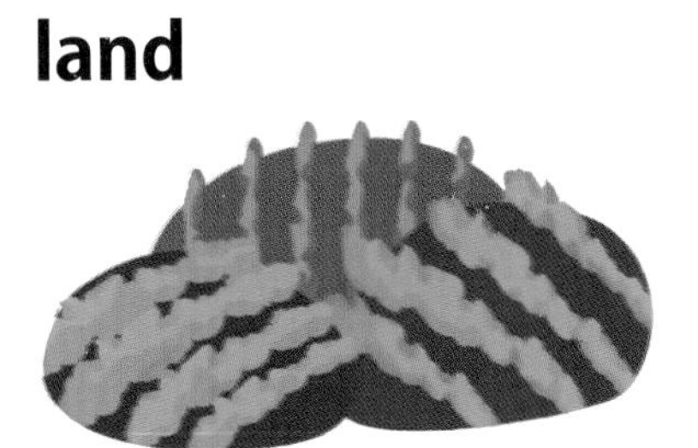

žemė

lane

juosta

lantern

žibintas

laser

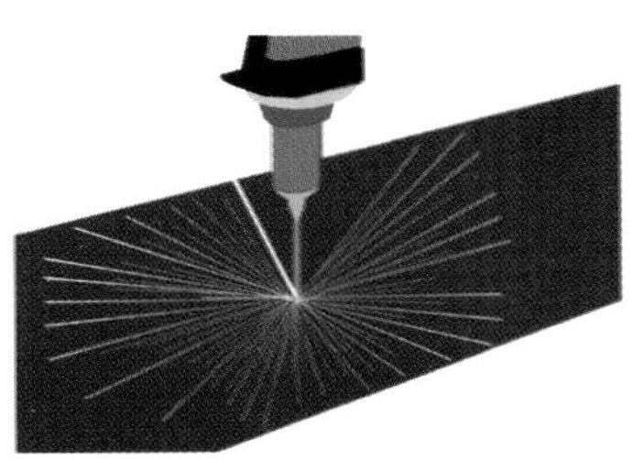

lazeris

lasso

lasas

latch

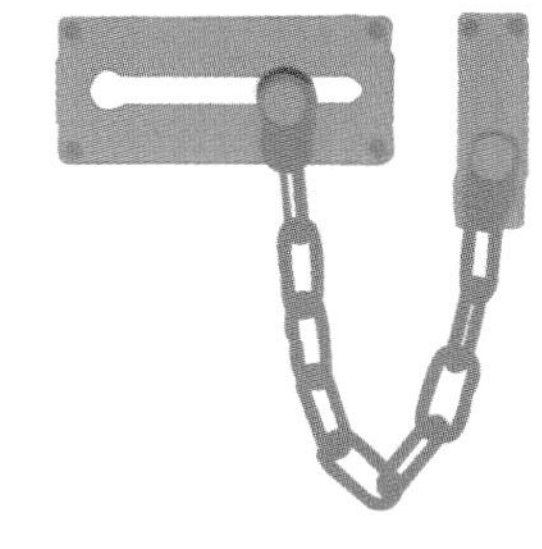

velkė

laundry

skalbiniai

lawn

veja

lawyer

teisininkas (-ė)

layer

sluoksnis

leaf

lapas

leather

oda

a b c d e f g h i j k l m n o p q r s t u v w x y z

leg

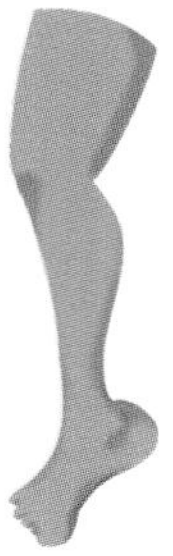

koja

lemon

citrina

lemonade

limonadas

lens

lęšis

leopard

leopardas

letter

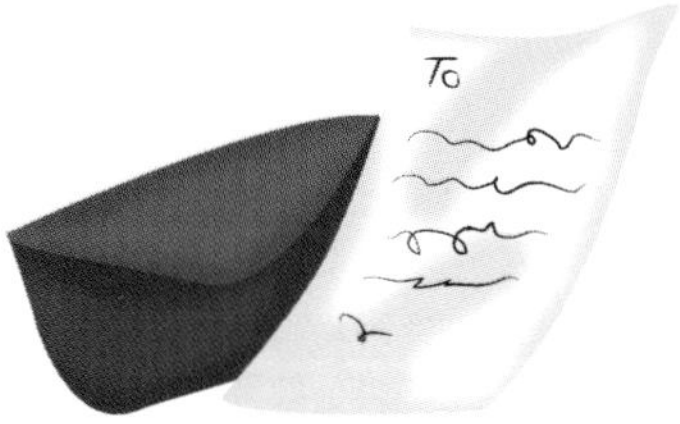

laiškas

letterbox
US English **mailbox**

pašto dėžutė

lettuce

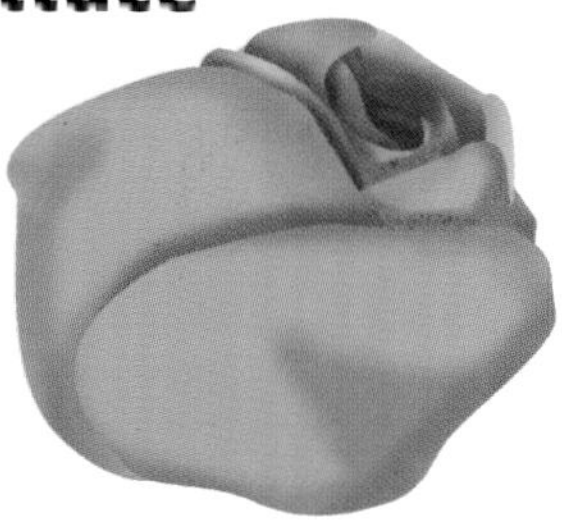

salotos

library

biblioteka

licence

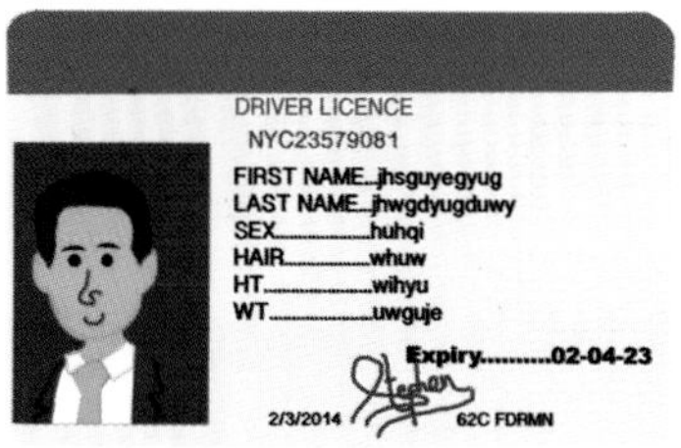

licencija

lid

dangtis

light

šviesa

lighthouse

švyturys

limb

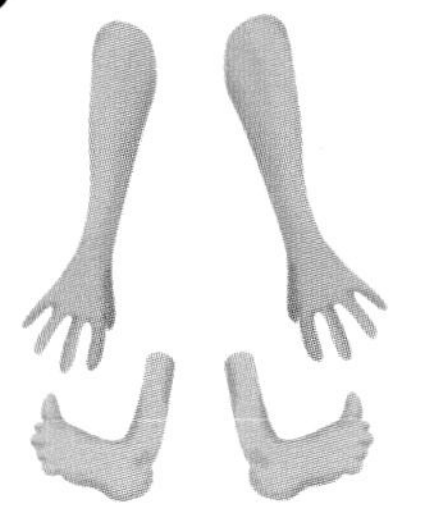

galūnė

line

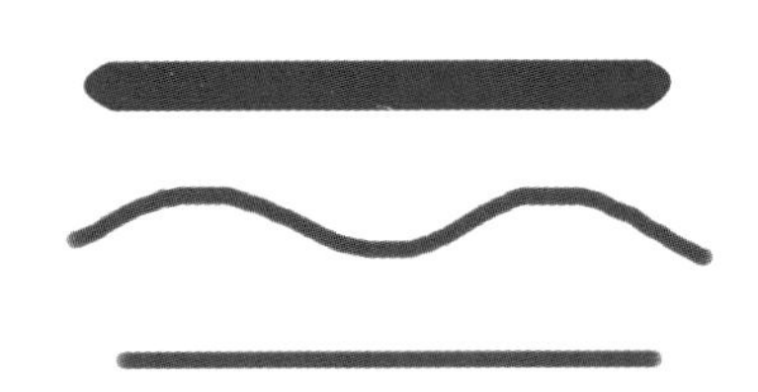

linija

lion

liūtas

lip

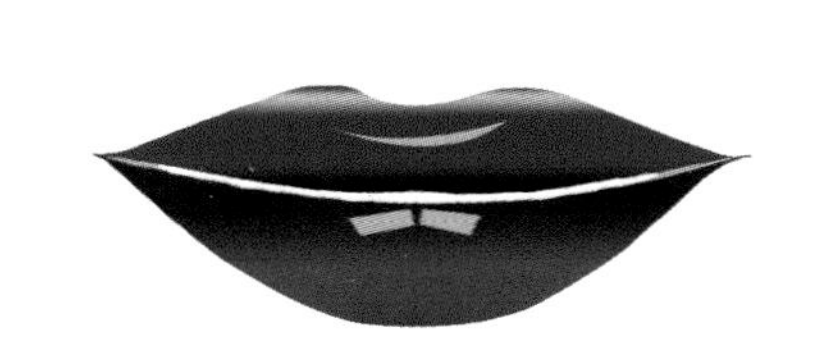

lūpa

lipstick

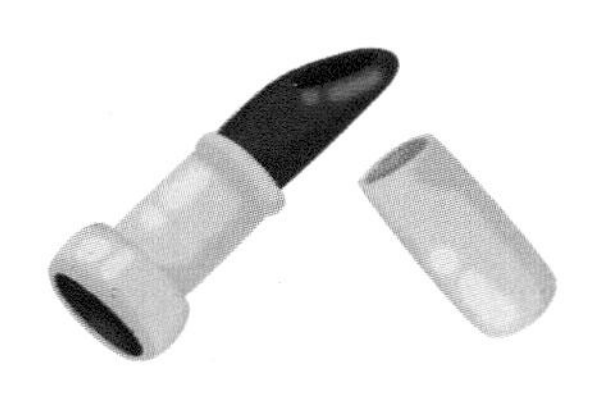

lūpų dažai

liquid

skystis

list

sąrašas

litre

US English **liter**

litras

living room

svetainė

lizard

driežas

load

krovinys

loaf

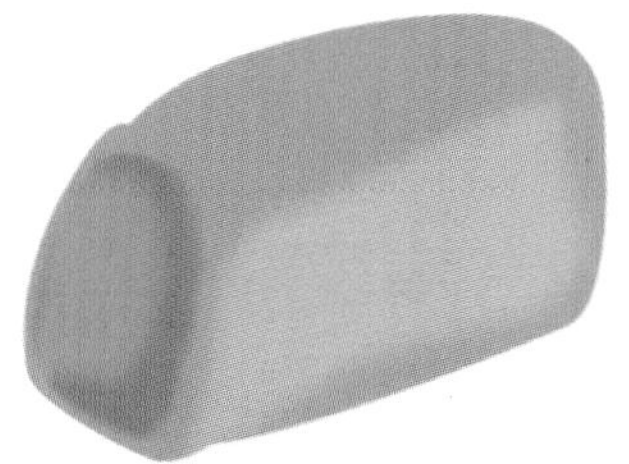

kepalas

lobster

omaras

lock

spyna

loft

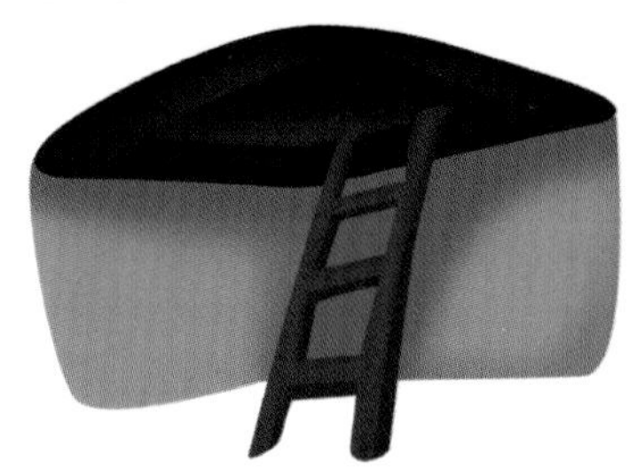

loftas

log

rąstas

loop

kilpa

lorry
US English **truck**

sunkvežimis

lotus

lotosas

louse

utėlė

luggage

bagažas

lunch

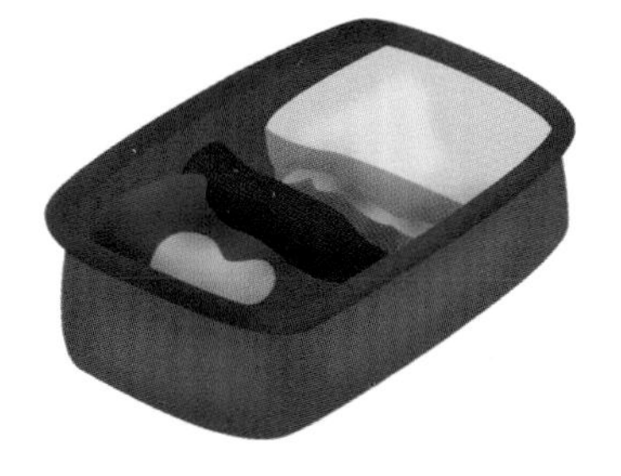

pietūs

lung

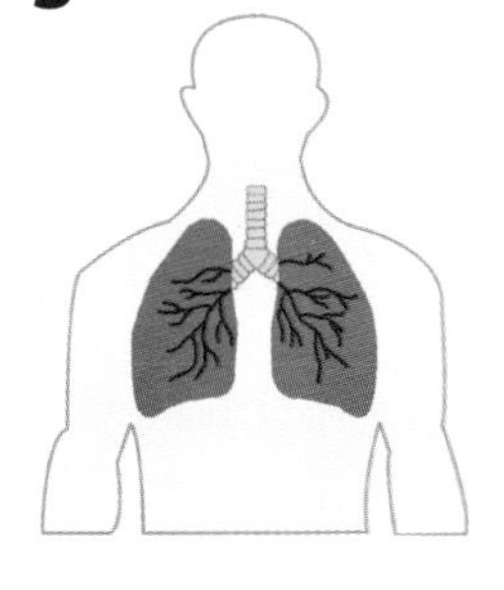

plautis

Mm

machine

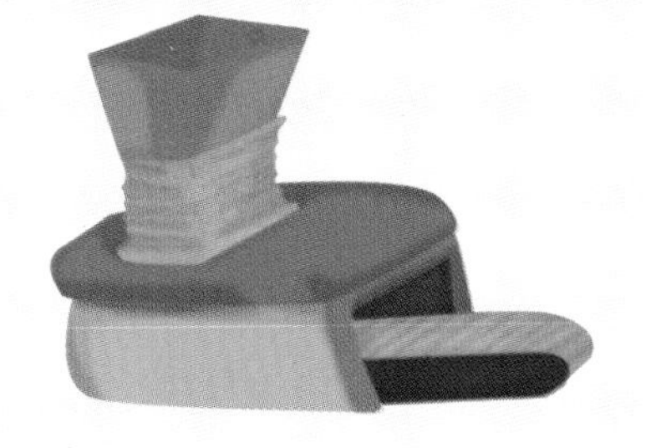

aparatas

magazine

žurnalas

magician

magas (-ė)

magnet

magnetas

magpie

šarka

mail

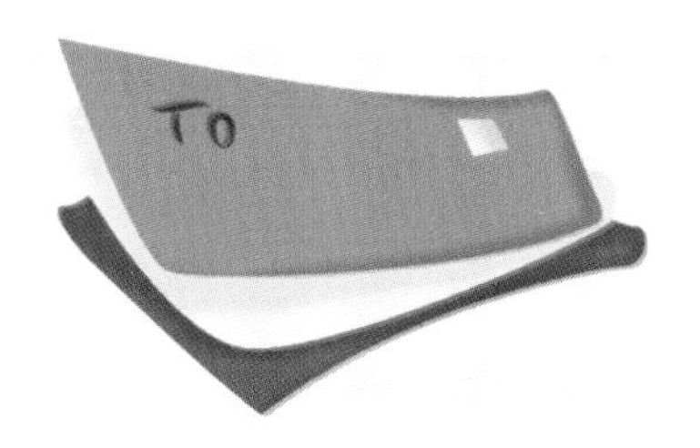

paštas

mammal

žinduolis

man

vyras

mandolin

mandolina

mango

mangas

map

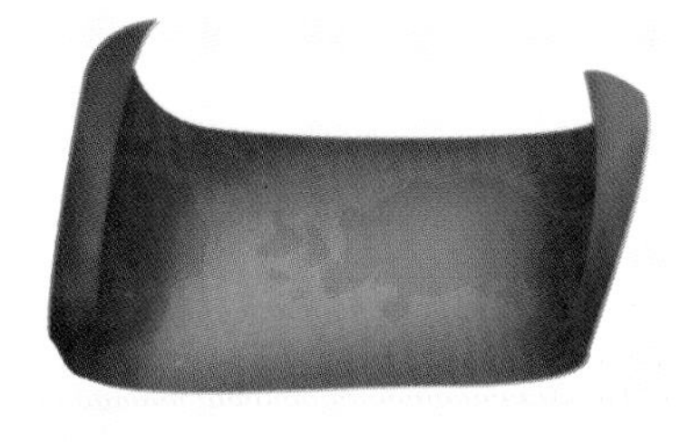

žemėlapis

a b c d e f g h i j k l m n o p q r s t u v w x y z

maple

klevas

marble

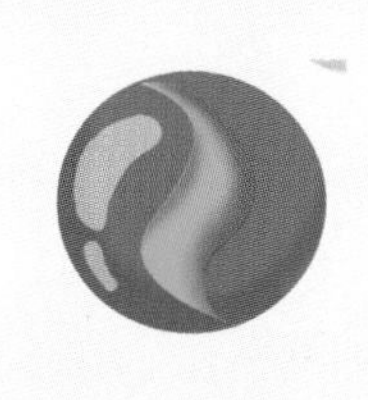

stiklo rutuliukas

market

turgus

mask

kaukė

mast

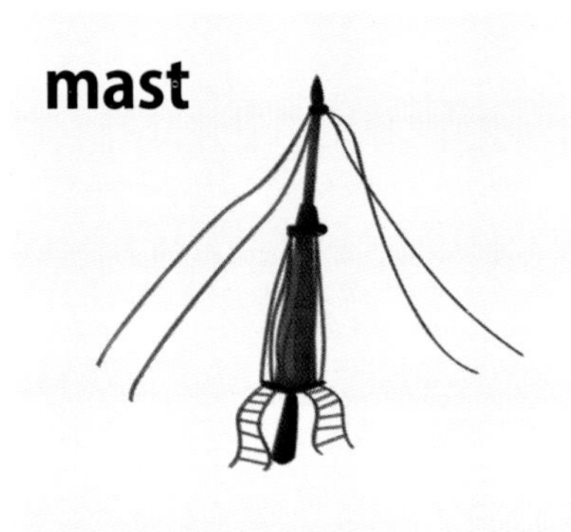

stiebas

mat

kilimėlis

matchbox

degtukai

mattress

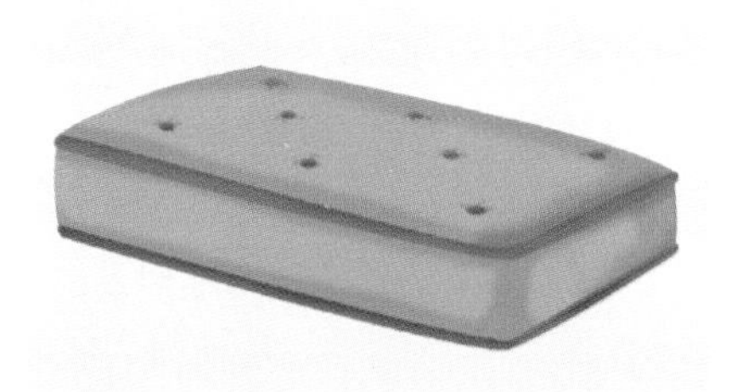

čiužinys

meal

valgis

meat

mėsa

mechanic

mechanikas (-ė)

medicine

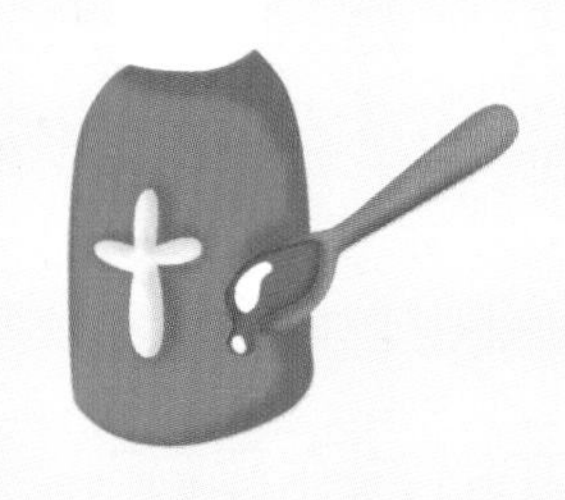

vaistas

melon

melionas

merchant

pirklys (-ė)

mermaid

undinė

metal

metalas

metre

US English **meter**

metras

microphone

mikrofonas

microwave

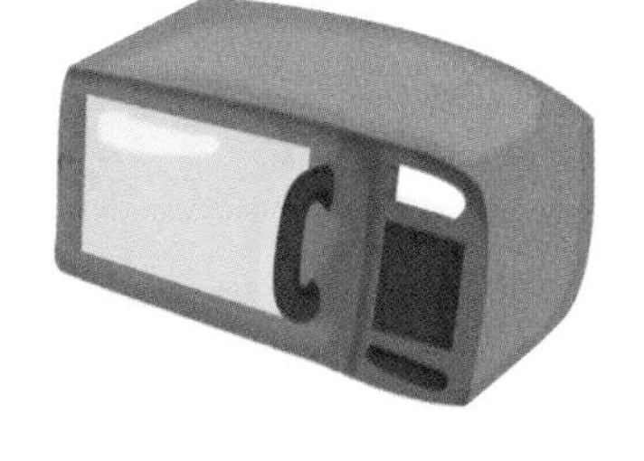

mikrobangų krosnelė

mile

mylia

milk

pienas

miner

kalnakasys

mineral

mineralas

mint

mėta

minute

minutė

mirror

veidrodis

mobile phone

mobilusis telefonas

model

modelis

mole

kurmis

money

pinigai

monk

vienuolis

monkey

beždžionė

monster

pabaisa

month

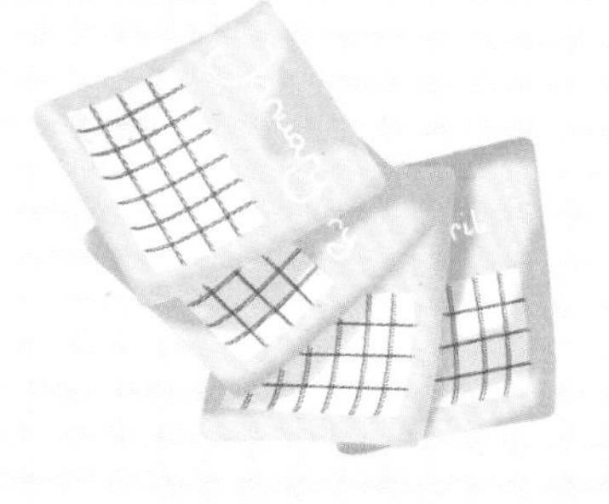

mėnuo

monument

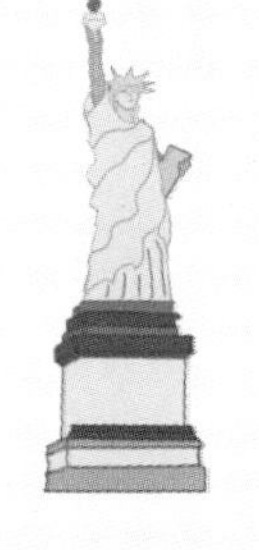

paminklas

moon

mėnulis

mop

šluostas

morning

rytas

mosquito

uodas

moth

kandis

mother

motina

motorcycle

motociklas

motorway

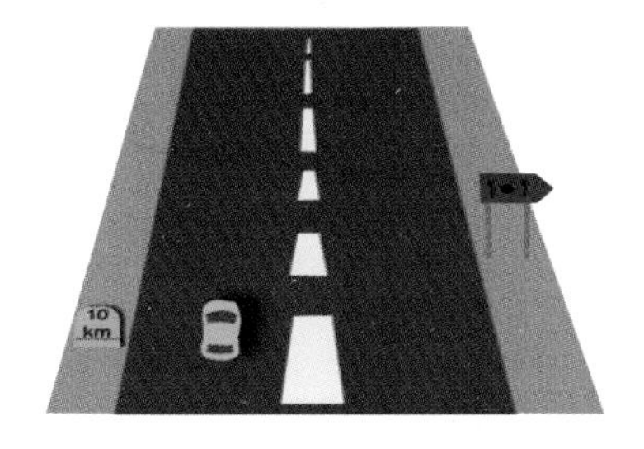

greitkelis

mountain

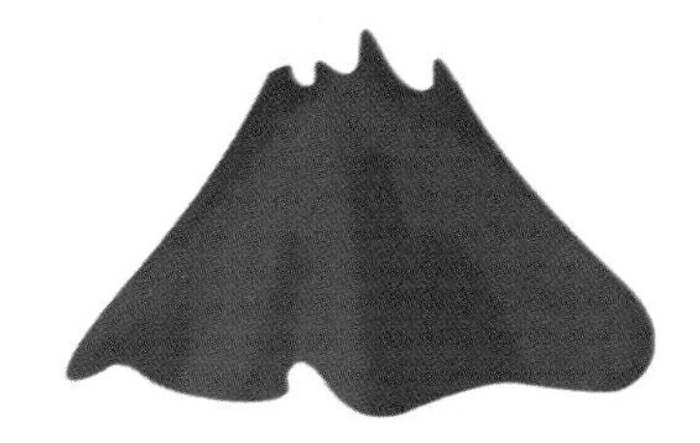

kalnas

mouse

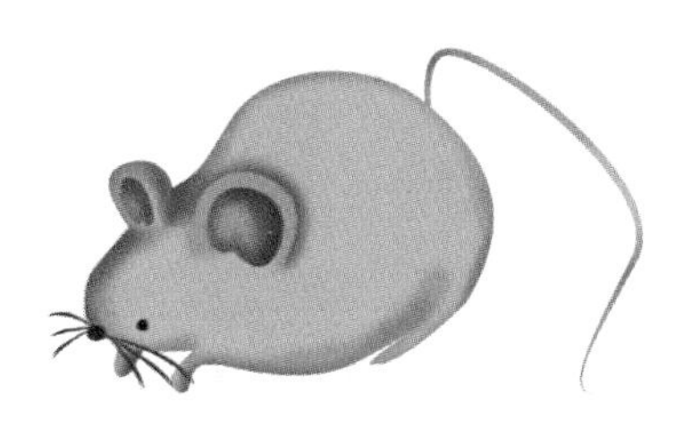

pelė

mousetrap

pelėkautai

moustache

ūsai

mouth

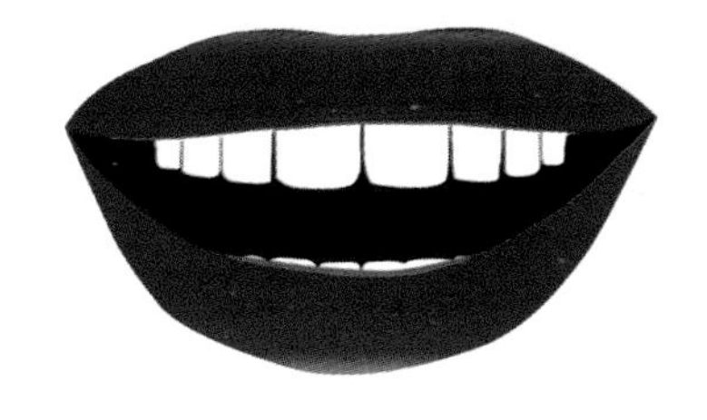

burna

a b c d e f g h i j k l m n o p q r s t u v w x y z

mud

purvas

muffin

keksiukas

mug

puodelis

mule

mulas

muscle

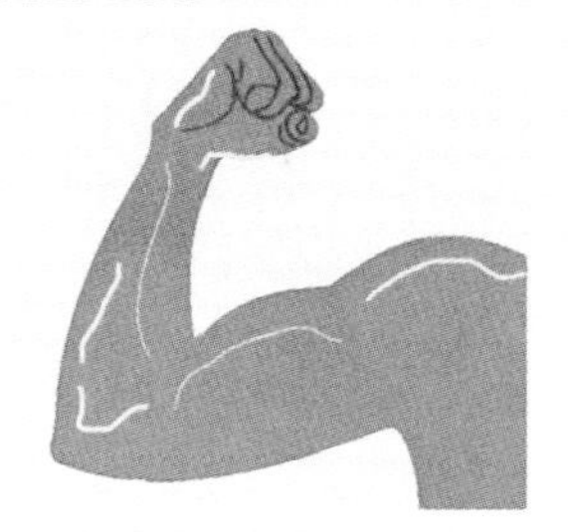

raumuo

museum

muziejus

mushroom

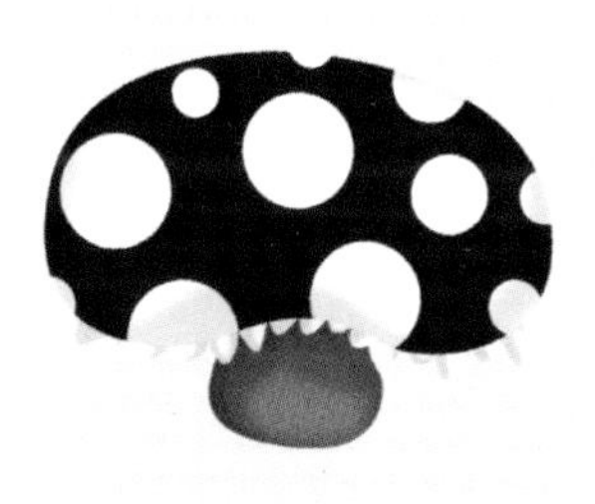

grybas

music

muzika

musician

muzikantas (-ė)

Nn

nail

vinis

napkin

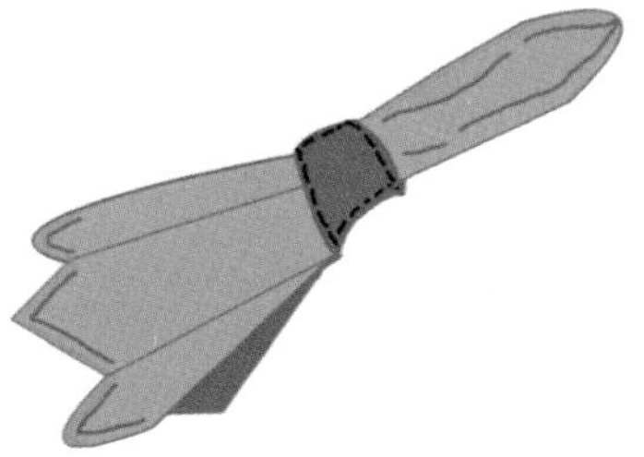

servetėlė

nappy
US English **diaper**

sauskelnės

nature

gamta

neck

kaklas

necklace

karoliai

necktie

kaklaraištis

needle

adata

neighbour
US English **neighbor**

kaimynas (-ė)

nest

lizdas

net

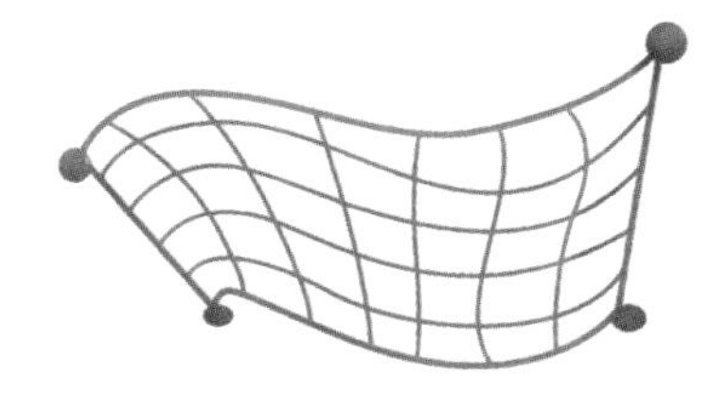

tinklas

newspaper

laikraštis

night

naktis

nine

devyni

noodles

makaronai

noon

vidurdienis

north

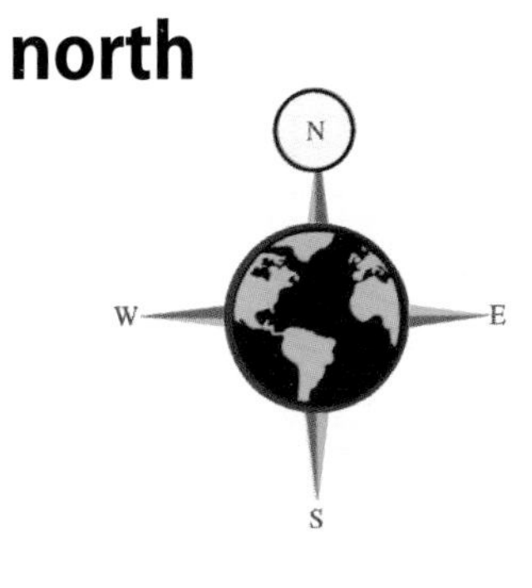

šiaurė

nose

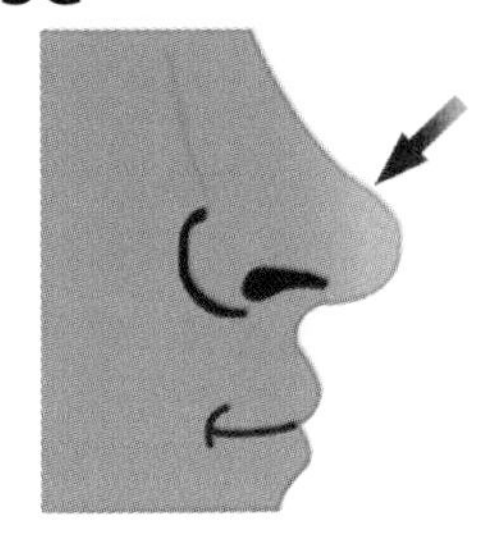

nosis

note

užrašas

notebook

sąsiuvinis

notice

pranešimas

number

skaičius

nun

vienuolė

nurse

slaugytoja

nursery

vaikų kambarys

nut

riešutas

Oo

oar

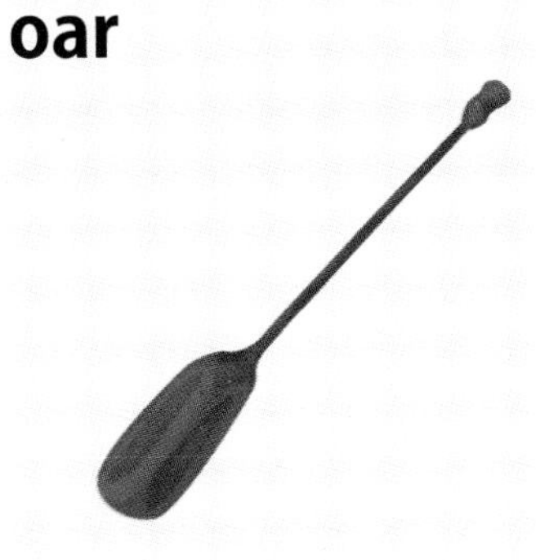

irklas

observatory

observatorija

ocean

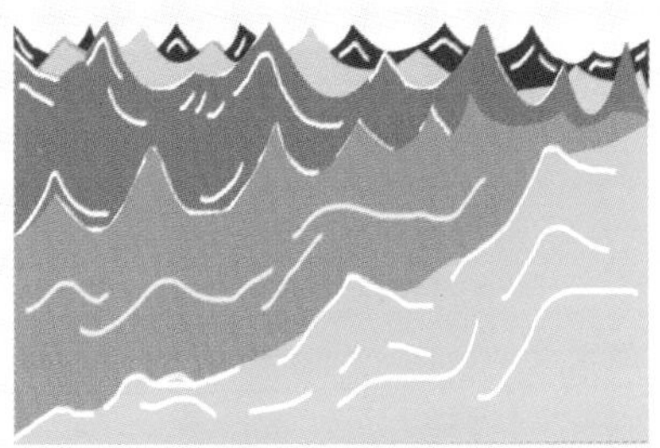

vandenynas

octopus

aštuonkojis

office

biuras

oil

nafta

olive

alyvuogė

omelette

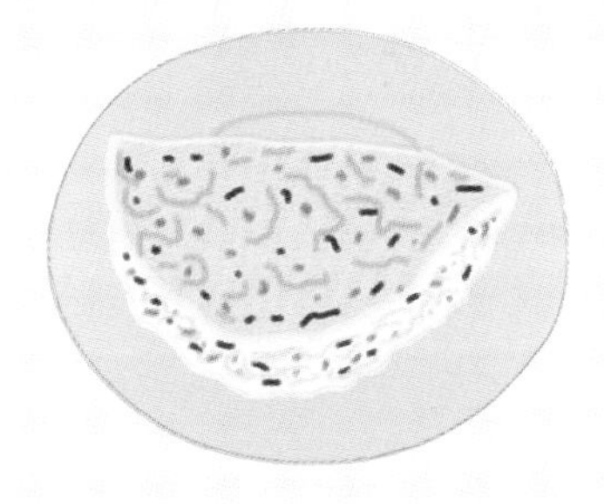

omletas

one

vienas

onion

svogūnas

orange

apelsinas

a b c d e f g h i j k l m n o p q r s t u v w x y z

orbit

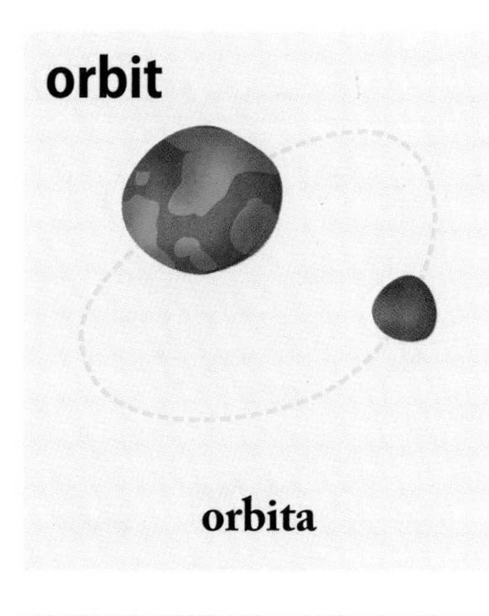

orbita

orchard

vaisių sodas

orchestra

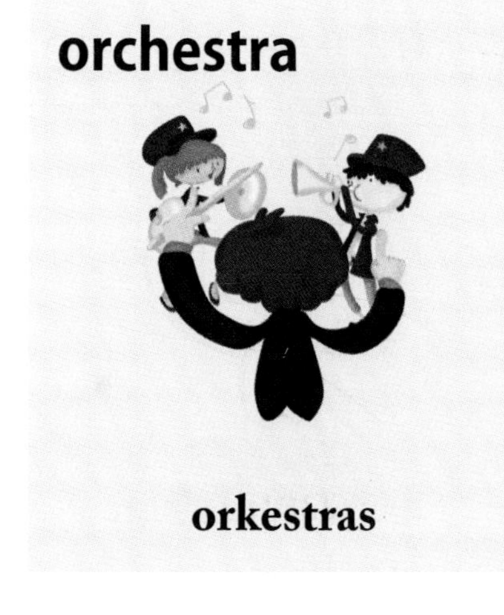

orkestras

ostrich

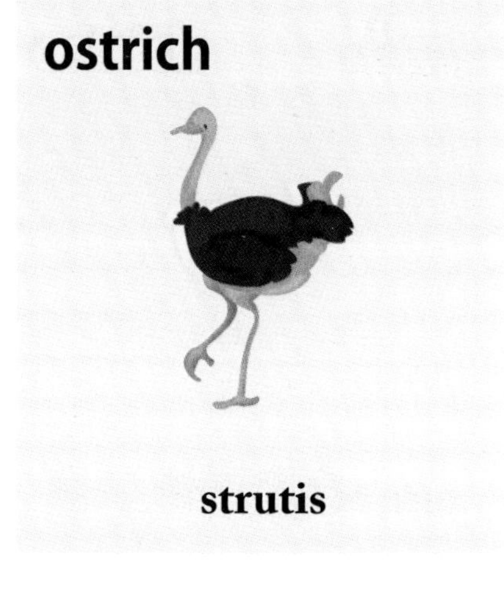

strutis

otter

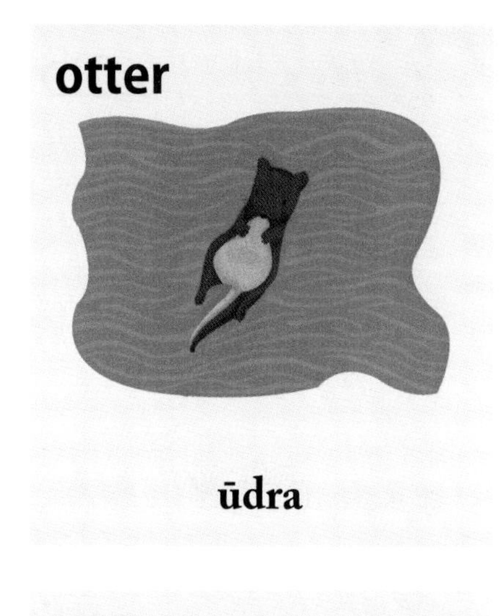

ūdra

oval

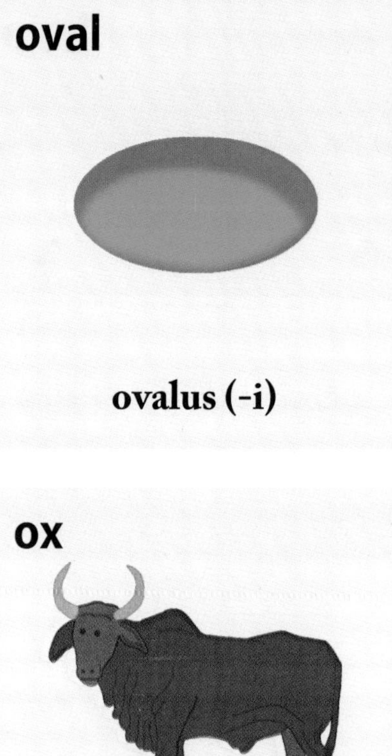

ovalus (-i)

oven

orkaitė

owl

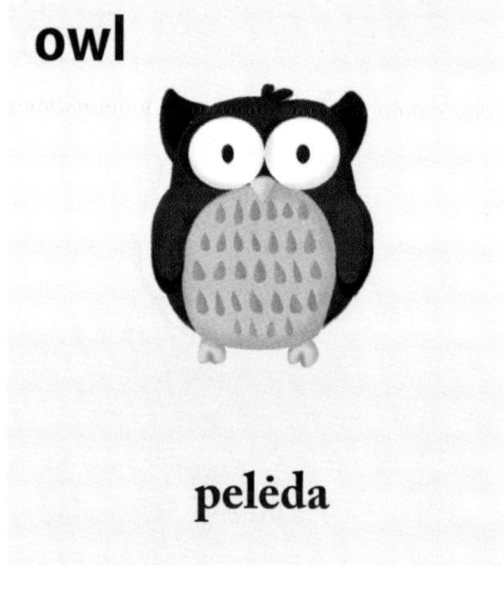

pelėda

ox

jautis

Pp

packet

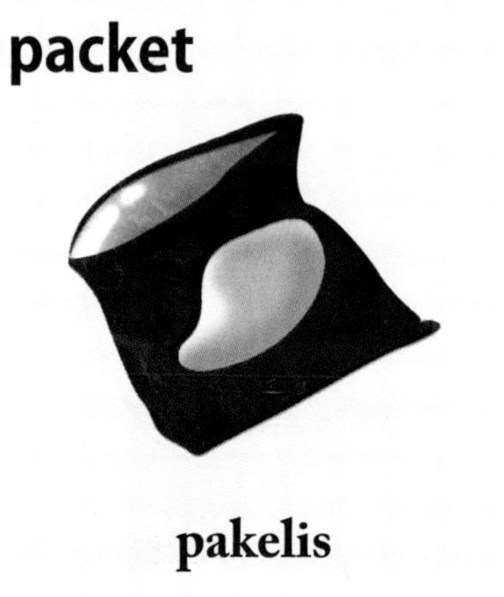

pakelis

page

puslapis

pain

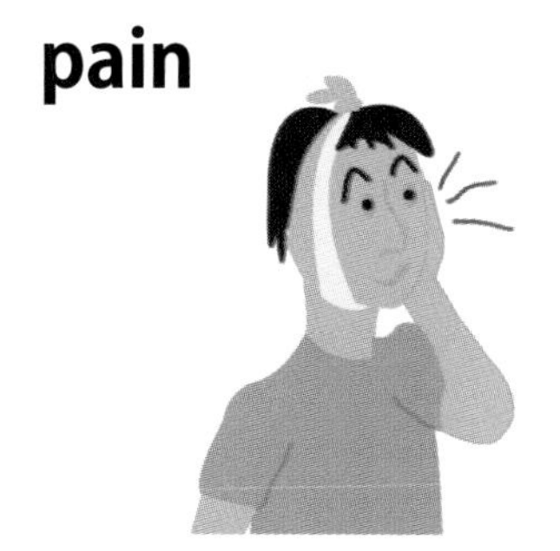

skausmas

paint

dažai

painting

paveikslas

pair

pora

palace

rūmai

palm

delnas

pan

keptuvė

pancake

blynas

panda

panda

papaya

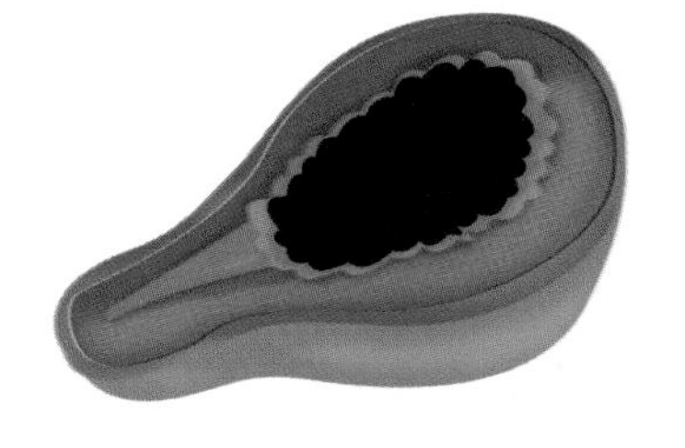

papaja

paper

popierius

parachute

parašiutas

a b c d e f g h i j k l m n o p q r s t u v w x y z

parcel

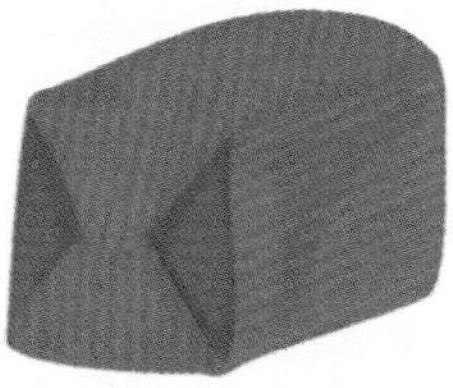

siuntinys

park

parkas

parrot

papūga

passenger

keleivis (-ė)

pasta

makaronai

pastry

kepinys

pavement

šaligatvis

paw

letena

pea

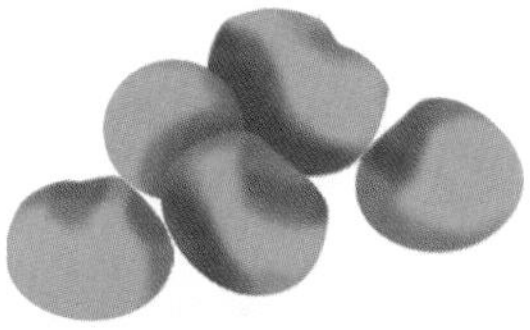

žirnis

peach

persikas

peacock

povas

peak

viršūnė

peanut

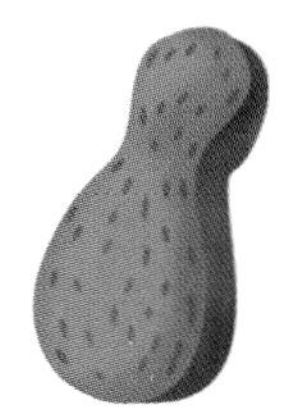

žemės riešutas

pear

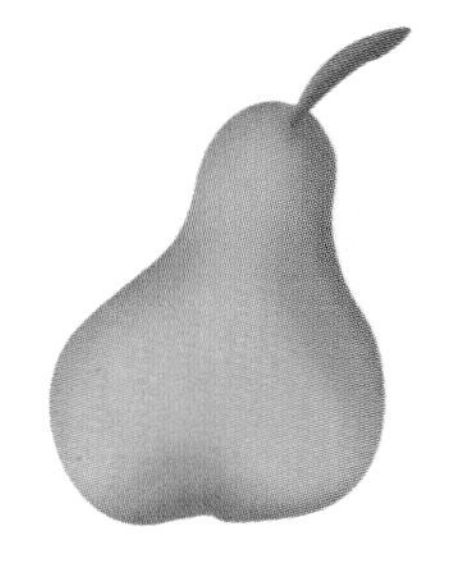

kriaušė

pearl

perlas

pedal

pedalas

pelican

pelikanas

pen

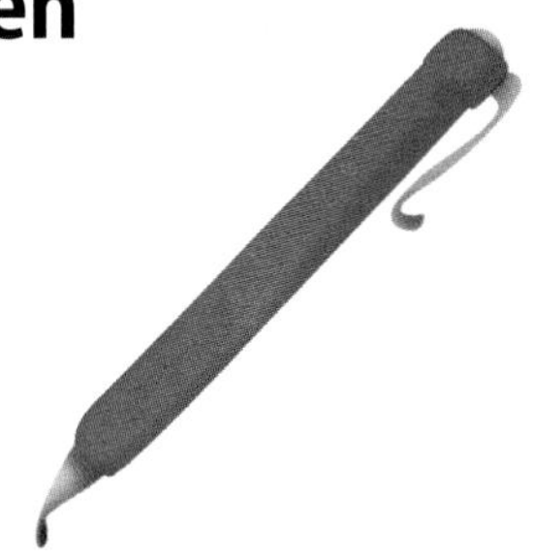

rašiklis

pencil

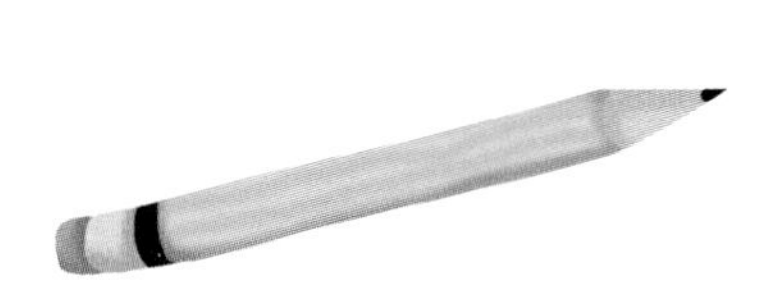

pieštukas

penguin

pingvinas

pepper

paprika

perfume

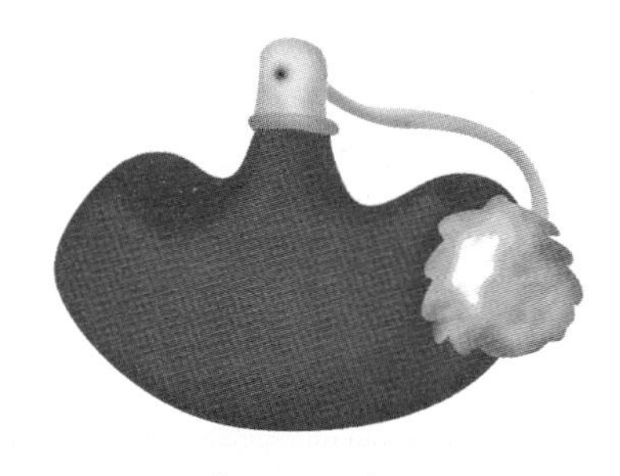

kvepalai

pet

naminis gyvūnas

pharmacy

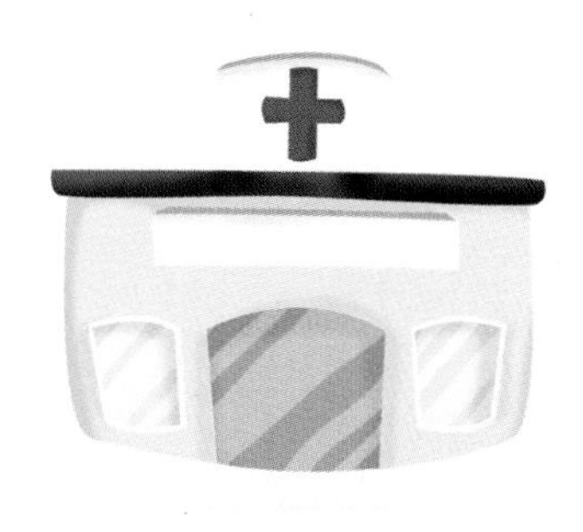

vaistinė

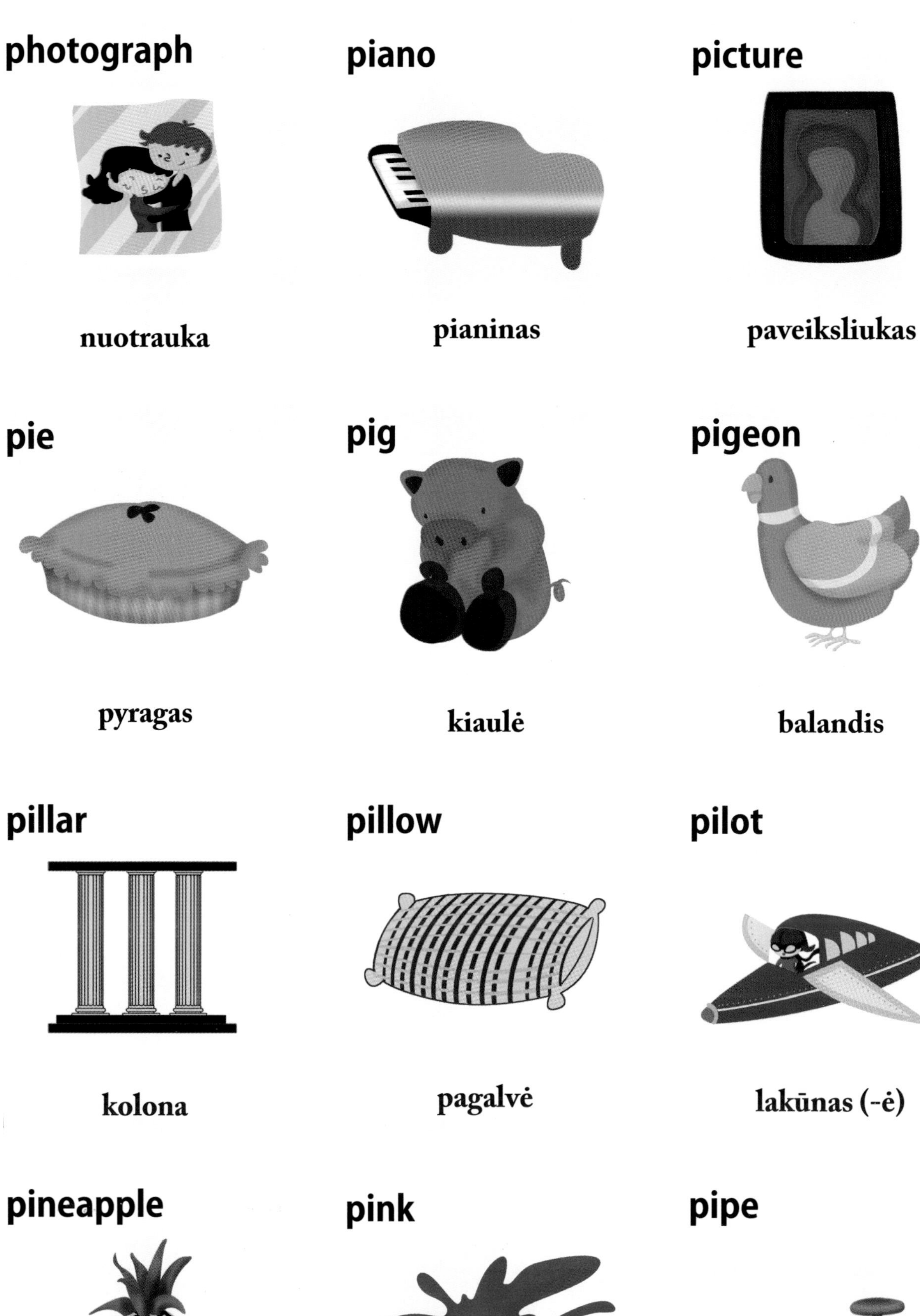

photograph

nuotrauka

piano

pianinas

picture

paveiksliukas

pie

pyragas

pig

kiaulė

pigeon

balandis

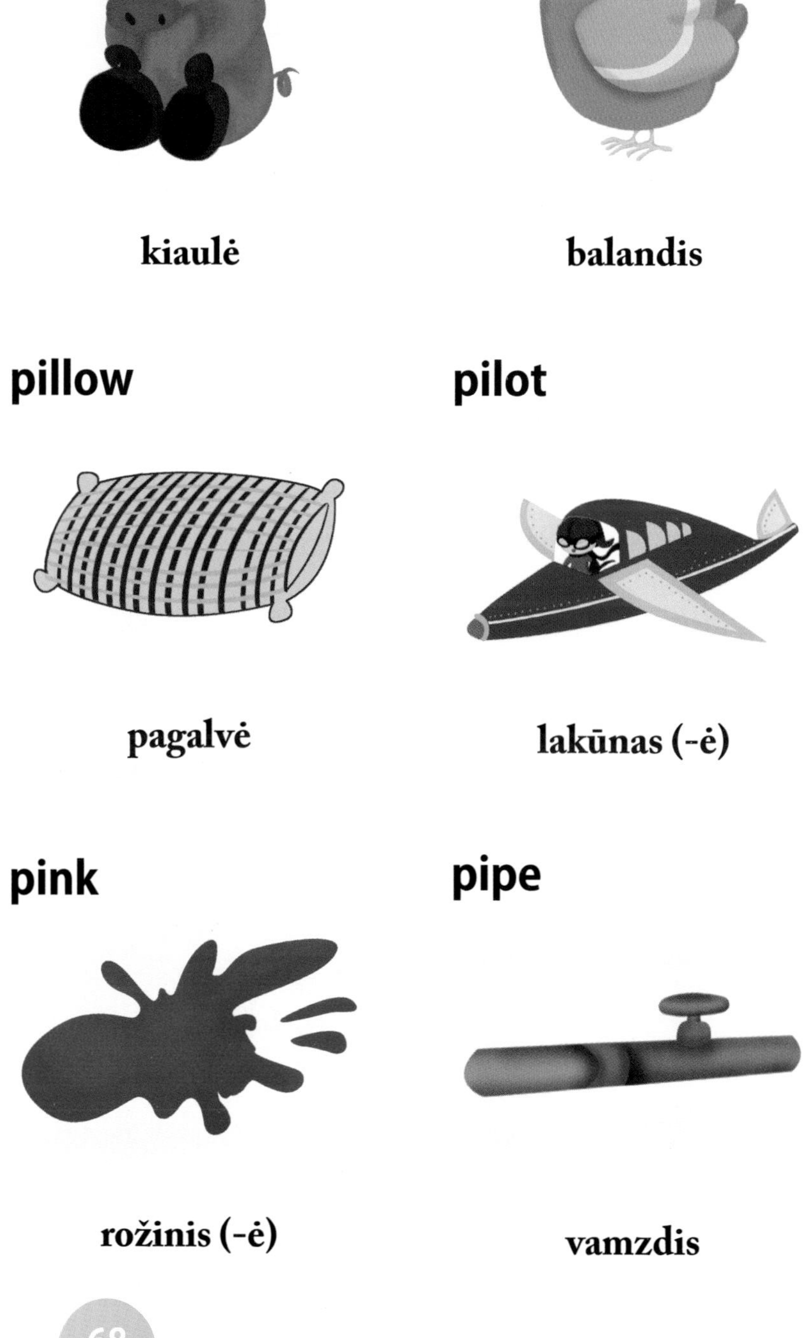

pillar

kolona

pillow

pagalvė

pilot

lakūnas (-ė)

pineapple

ananasas

pink

rožinis (-ė)

pipe

vamzdis

pizza

pica

planet

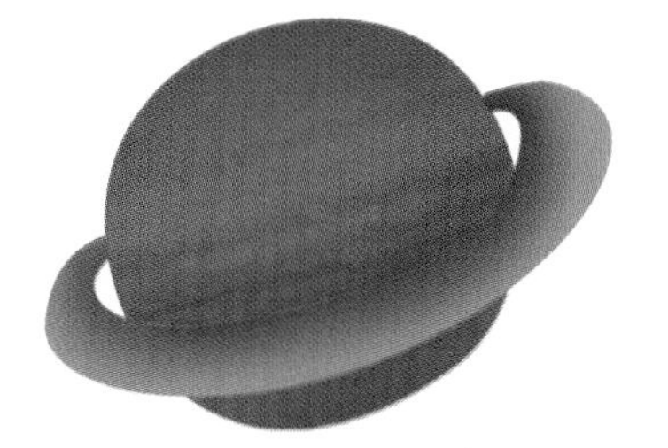

planeta

plant

augalas

plate

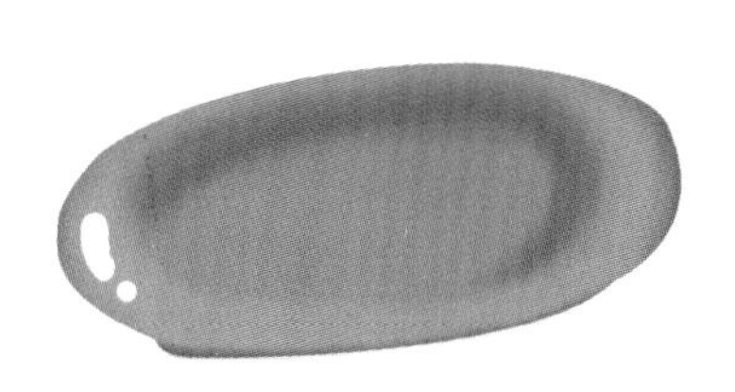

lėkštė

platform

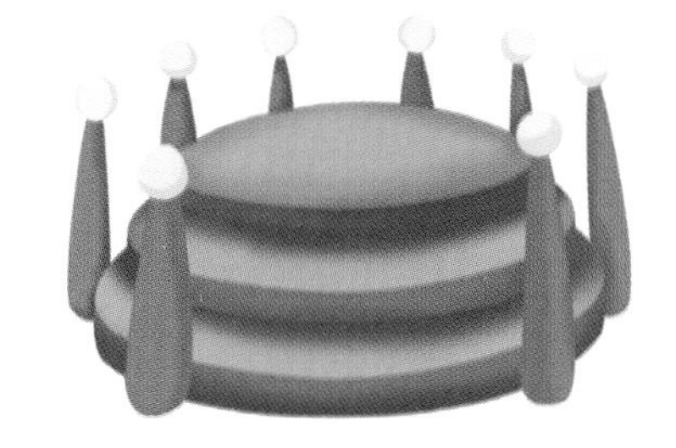

platforma

platypus

ančiasnapis

player

žaidėjas (-a)

plum

slyva

plumber

santechnikas (-ė)

plywood

fanera

pocket

kišenė

poet

poetas (-ė)

polar bear

baltoji meška

police

policija

pollution

tarša

pomegranate

granatas

pond

tvenkinys

porcupine

dygliuotis

port

uostas

porter

durininkas (-ė)

postcard

atvirukas

postman

paštininkas (-ė)

post office

paštas

pot

vazonas

potato

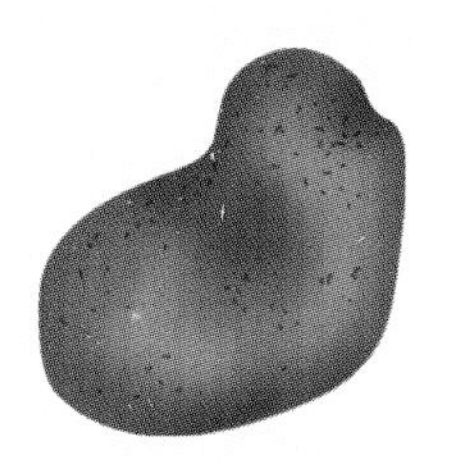

bulvė

powder

milteliai

prawn

didžioji krevetė

priest

kunigas

prince

princas

prison

kalėjimas

pudding

pudingas

pump

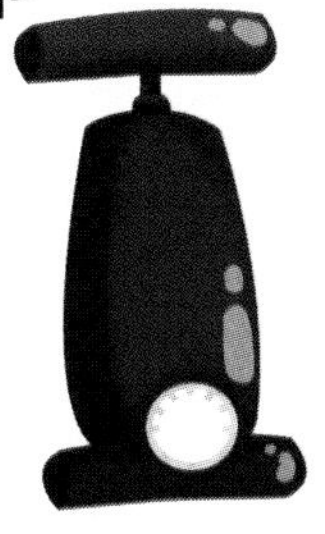

pompa

pumpkin

moliūgas

puppet

marionetė

puppy

šuniukas

purse

piniginė

a b c d e f g h i j k l m n o p q r s t u v w x y z

Qq

quail

putpelė

quarry

karjeras

queen

karalienė

queue

eilė

quiver

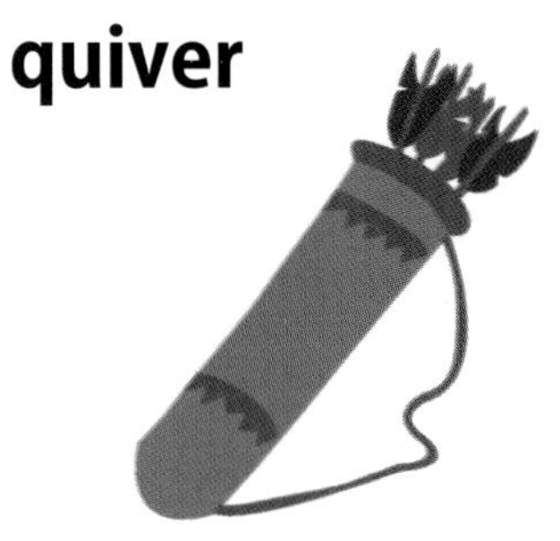

strėlinė

Rr

rabbit

triušis

rack

stelažas

racket

raketė

radio

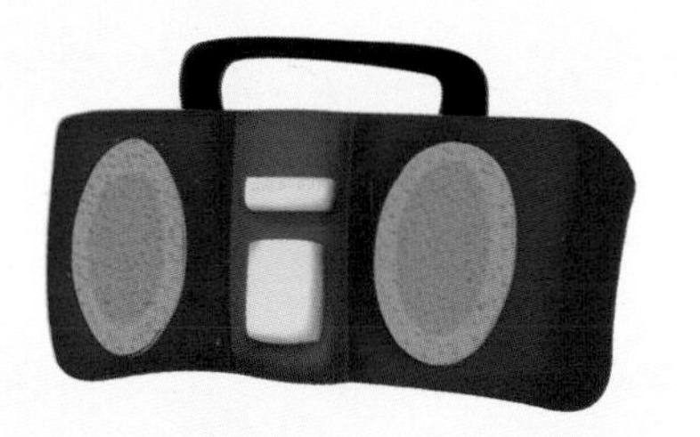

radijas

radish

ridikas

raft

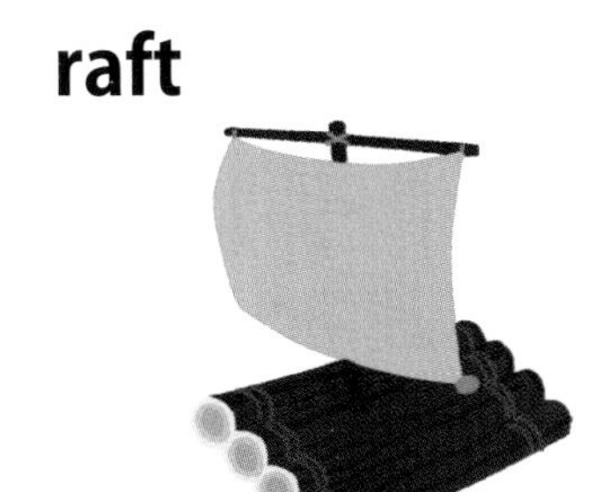

plaustas

rain

lietus

rainbow

vaivorykštė

raisin

razina

ramp

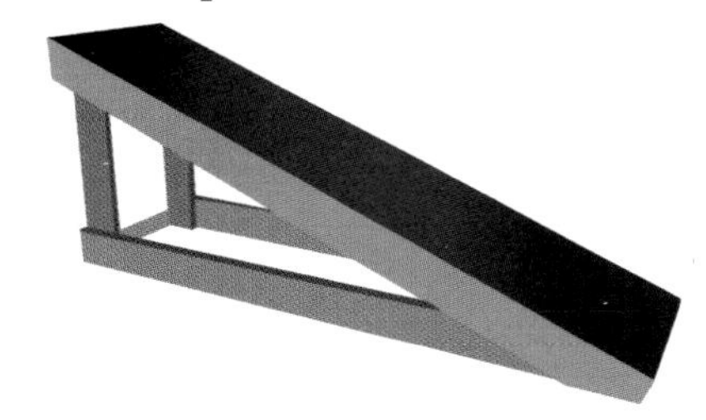

rampa

raspberry

avietė

rat

žiurkė

razor

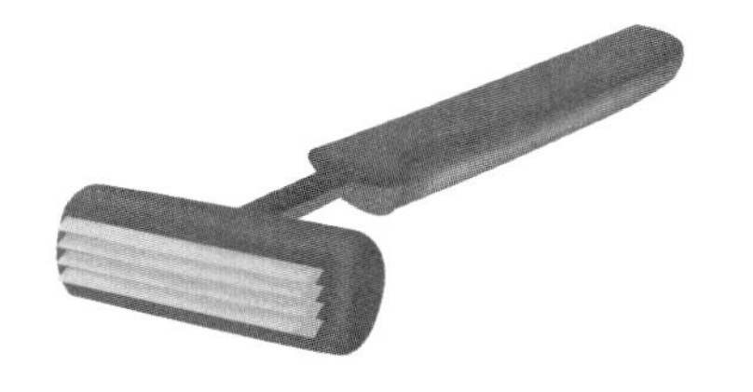

skustuvas

receipt

kvitas

rectangle

stačiakampis

red

raudonas (-a)

restaurant

restoranas

a b c d e f g h i j k l m n o p q r s t u v w x y z

rhinoceros

raganosis

rib

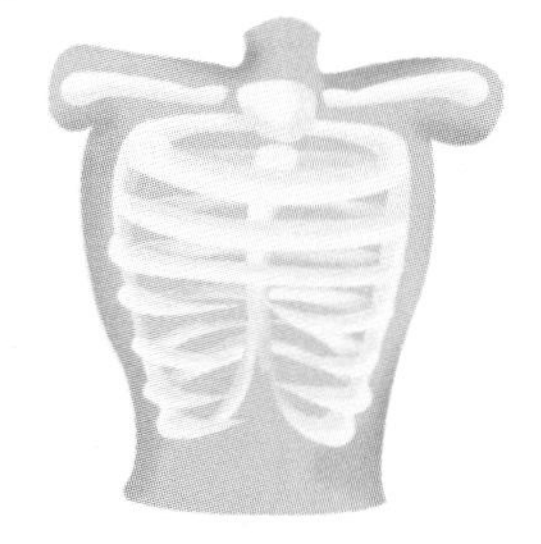

šonkaulis

ribbon

juosta

rice

ryžiai

ring

žiedas

river

upė

road

kelias

robber

plėšikas (-ė)

robe

chalatas

robot

robotas

rock

uola

rocket

raketa

roller coaster

amerikietiški kalneliai

room

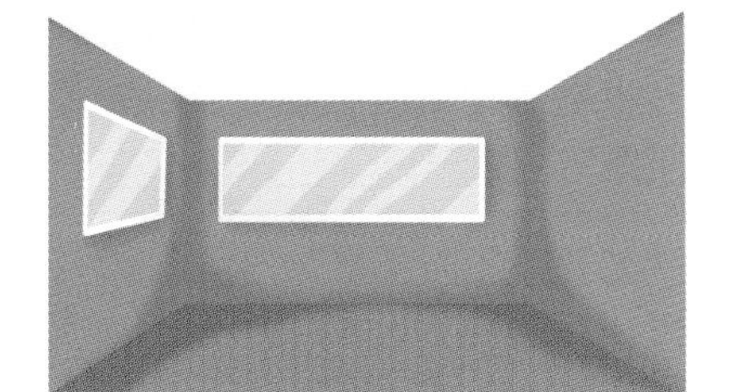

kambarys

root

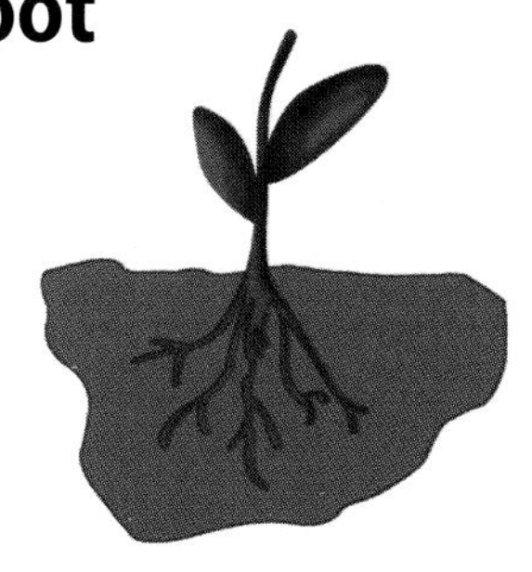

šaknis

rope

virvė

rose

rožė

round

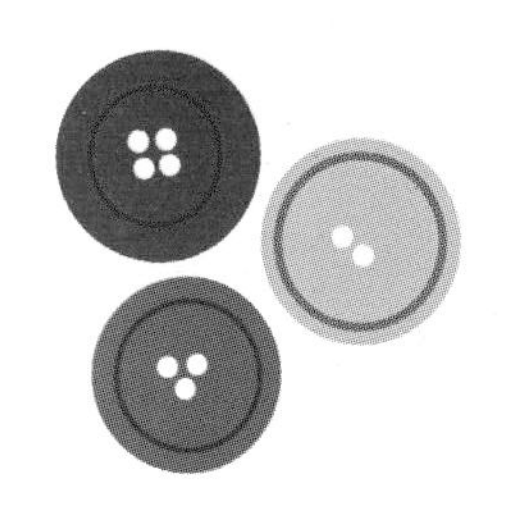

apvalus (-i)

rug

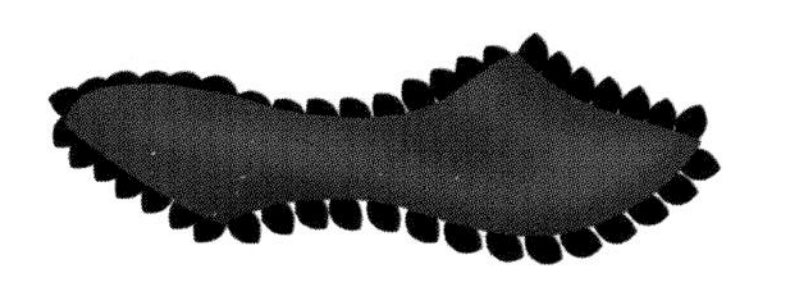

kilimas

rugby

regbis

ruler

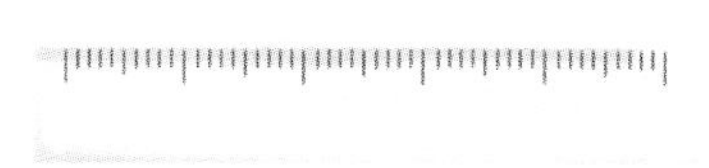

liniuotė

Ss

sack

maišas

sail

burė

sailor

jūreivis (-ė)

salad

salotos

salt

druska

sand

smėlis

sandwich

sumuštinis

satellite

palydovas

saucer

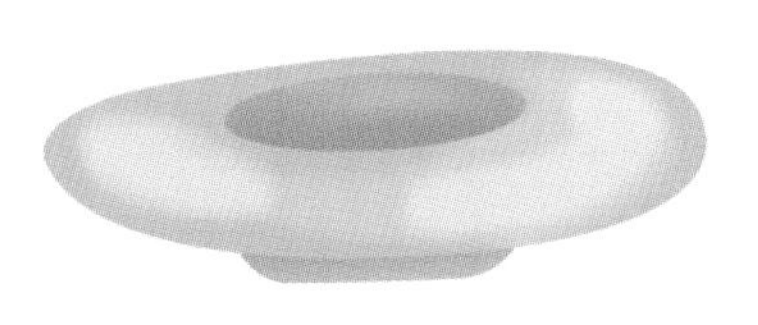

lėkštutė

sausage

dešra

saw

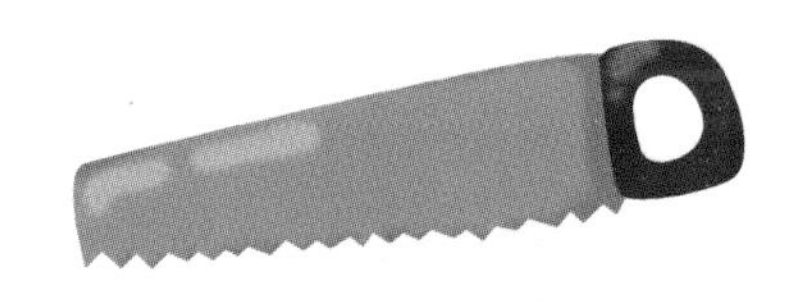

pjūklas

scarf

šalikas

school

mokykla

scissors

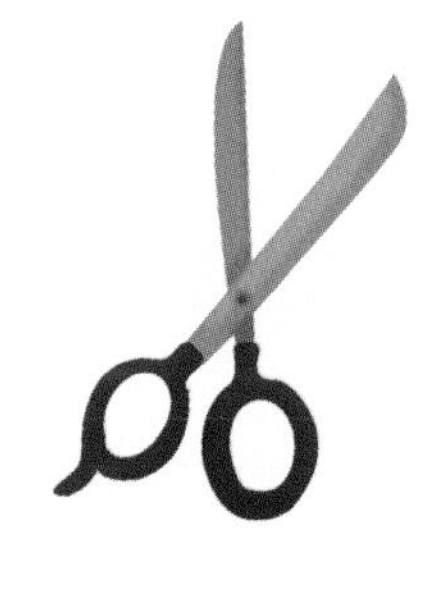

žirklės

scooter

paspirtukas

scorpion

skorpionas

screw

varžtas

sea

jūra

seal

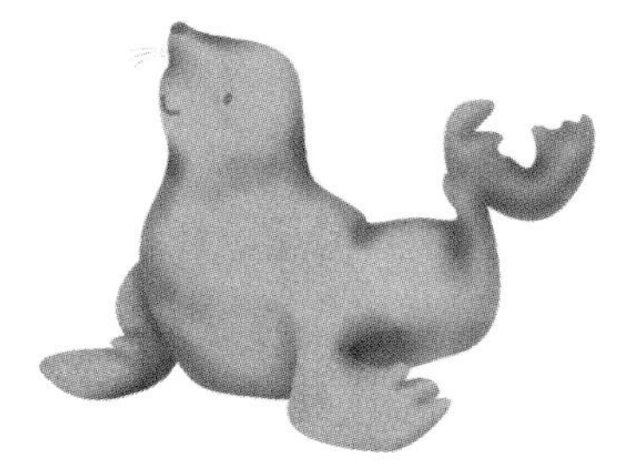

ruonis

seat

sėdynė

see-saw

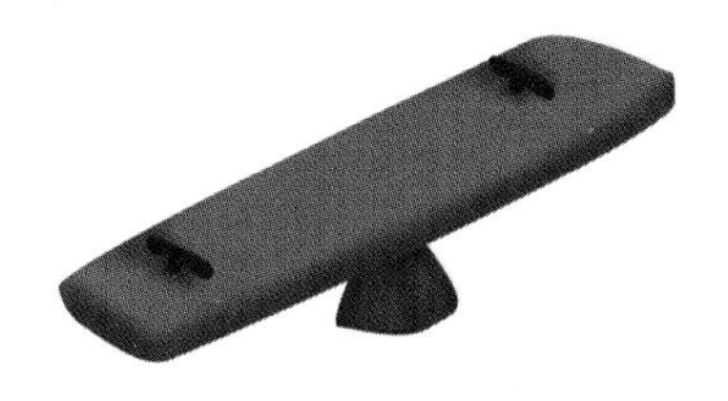

supimosi lenta

seven

septyni

shadow

šešėlis

shampoo

šampūnas

shark

ryklys

sheep

avis

shelf

lentyna

shell

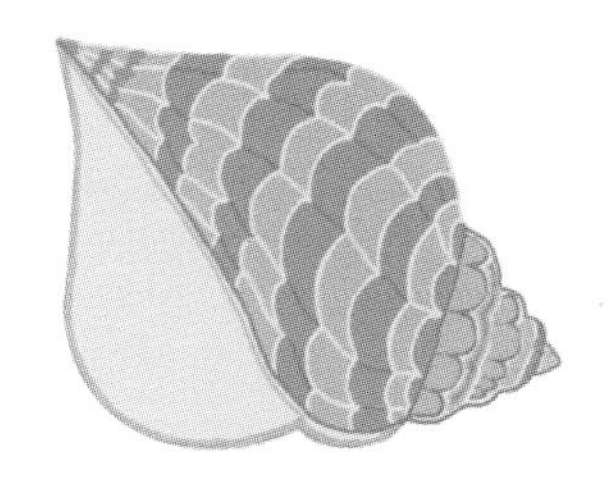

kriauklė

shelter

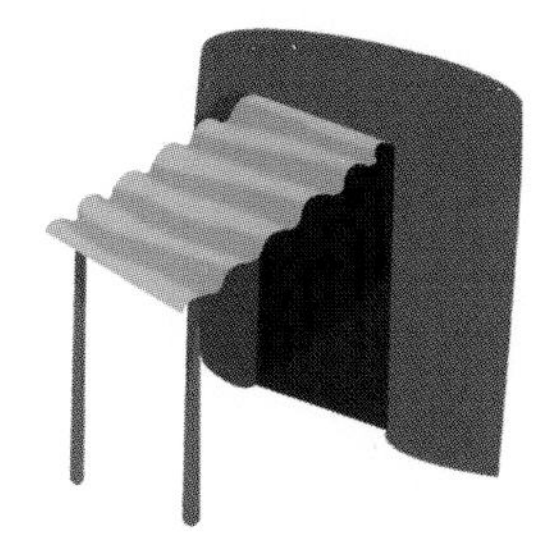

pastogė

ship

laivas

shirt

marškinėliai

shoe

batai

shorts

šortai

shoulder

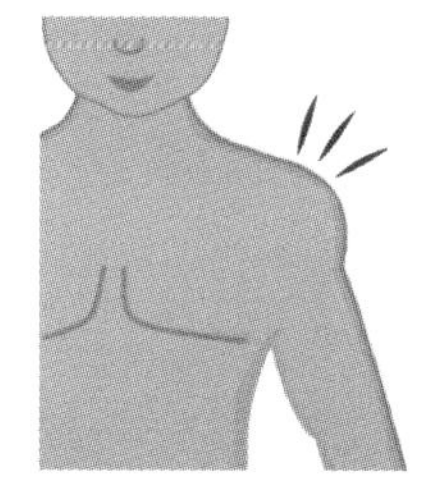

petys

shower

dušas

shutter

langinė

shuttlecock

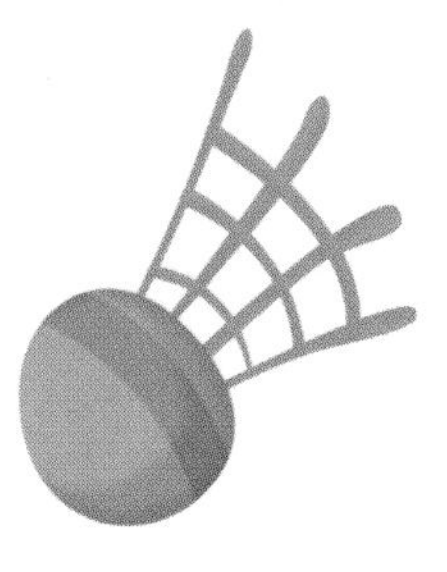

badmintono amuoliukas

signal

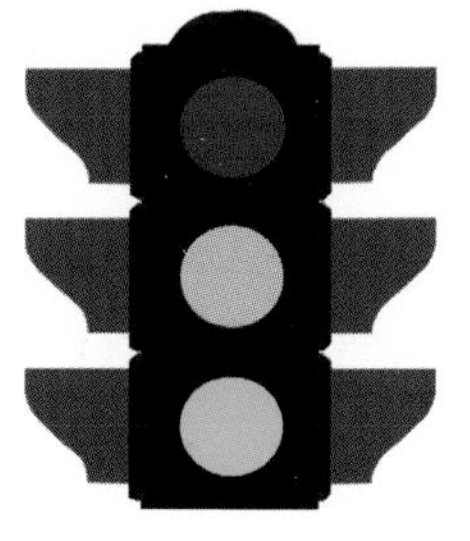

šviesoforas

silver

sidabras

sink

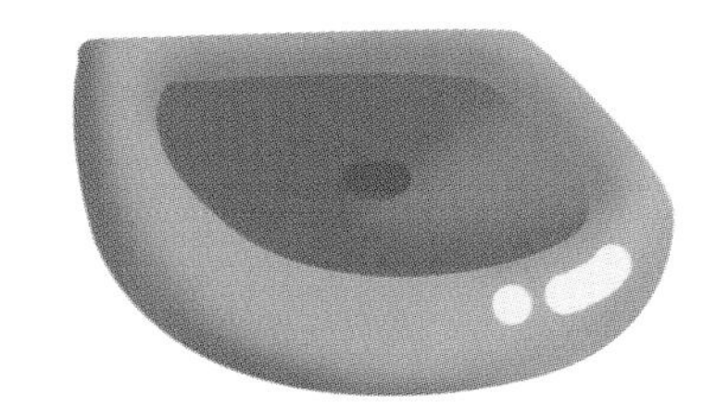

kriauklė

sister

sesuo

six

šeši

skate

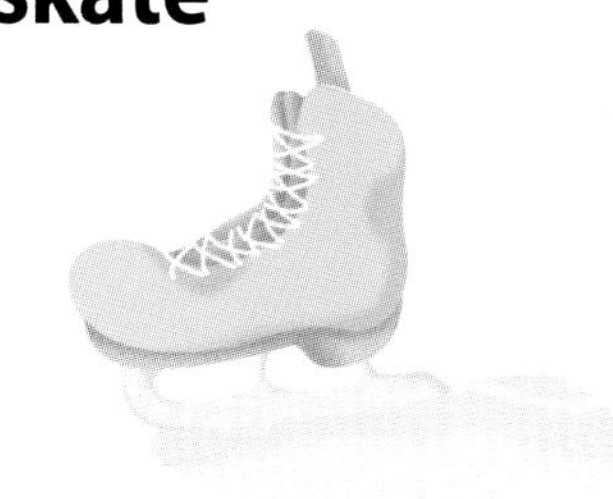

pačiūžos

skeleton

skeletas

ski

slidė

skin

oda

skirt

sijonas

skull

kaukolė

sky

dangus

skyscraper

dangoraižis

slide

čiuožykla

slipper

šlepetės

smoke

dūmai

snail

sraigė

snake

gyvatė

snow

sniegas

soap

muilas

sock

kojinės

sofa

sofa

soil

dirvožemis

soldier

karys

soup

sriuba

space

kosmosas

spaghetti

spagečiai

sphere

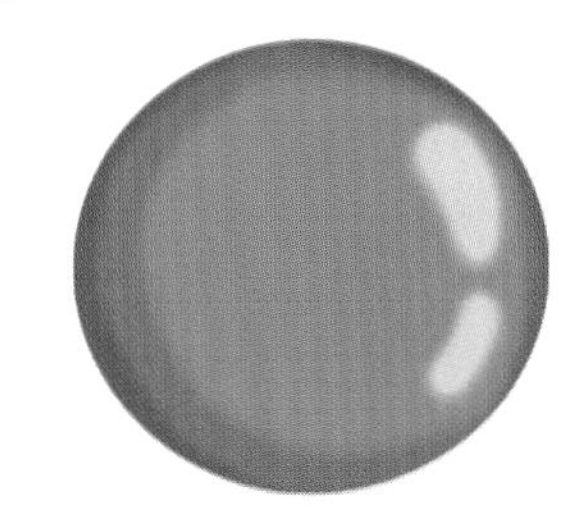

sfera

spider

voras

spinach

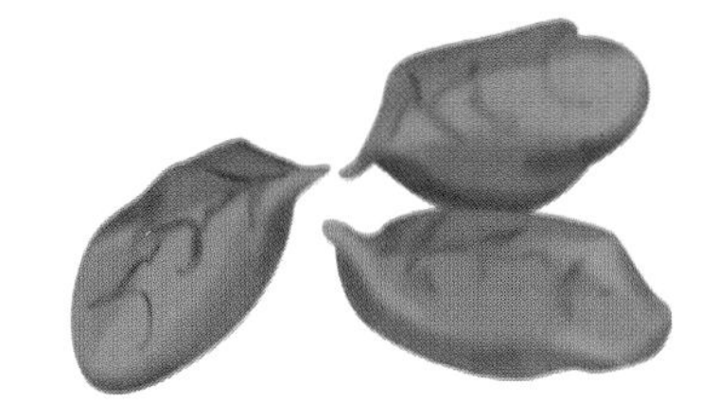

špinatai

sponge

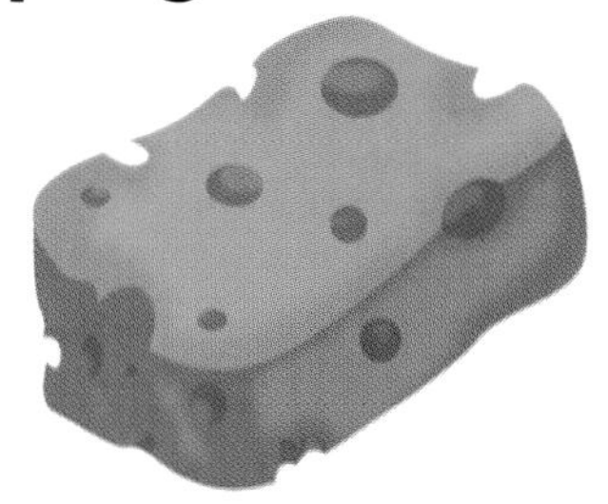

kempinė

spoon

šaukštas

spray

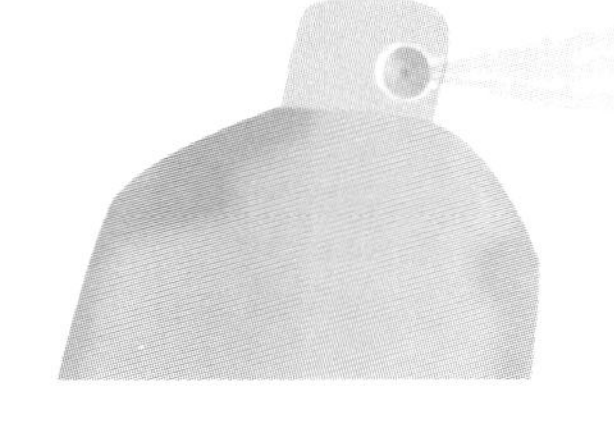

purškalas

spring

pavasaris

square

kvadratas

squirrel

voverė

stadium

stadionas

a
b
c
d
e
f
g
h
i
j
k
l
m
n
o
p
q
r
s
t
u
v
w
x
y
z

stairs

laiptai

stamp

pašto ženklas

star

žvaigždė

station

stotelė

statue

statula

stethoscope

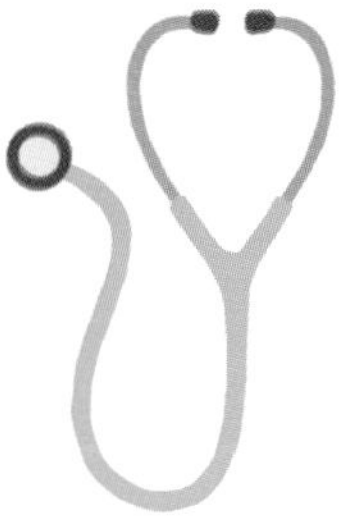

stetoskopas

stomach

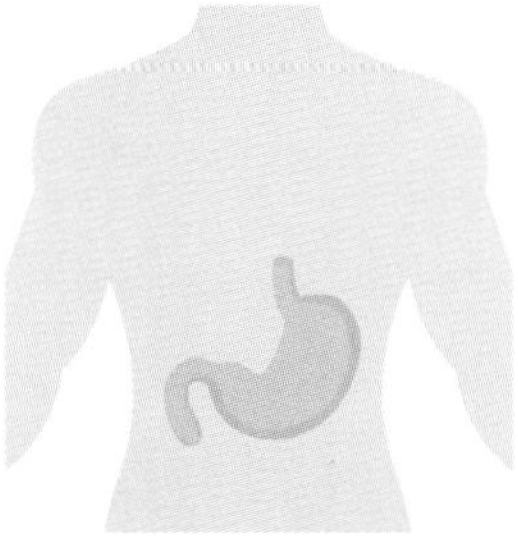

skrandis

stone

akmuo

storm

audra

straw

šiaudelis

strawberry

braškė

street

gatvė

student

studentas (-ė)

submarine

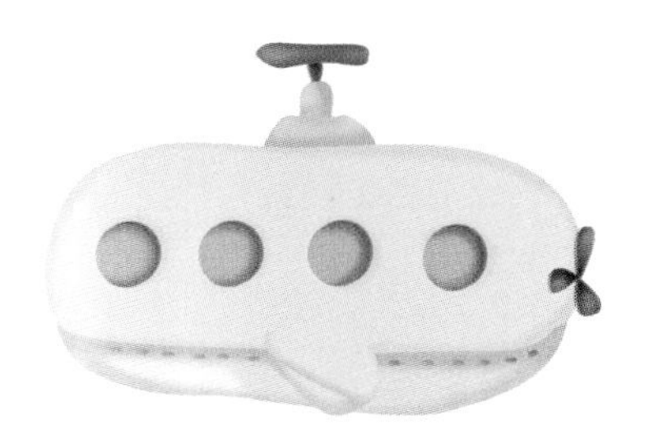

povandeninis laivas

subway

metropolitenas

sugar

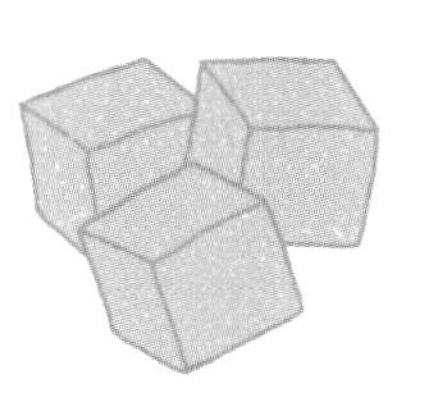

cukrus

sugarcane

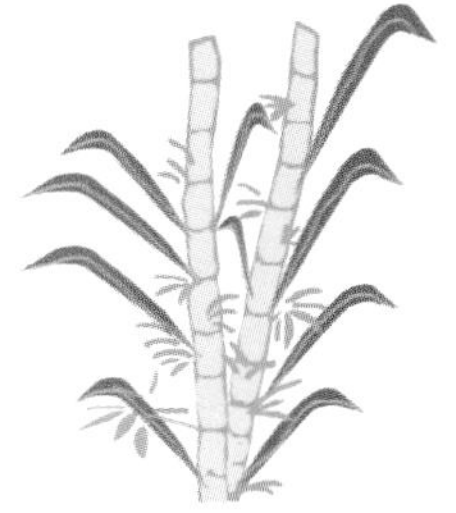

cukranendrė

summer

vasara

sun

saulė

supermarket

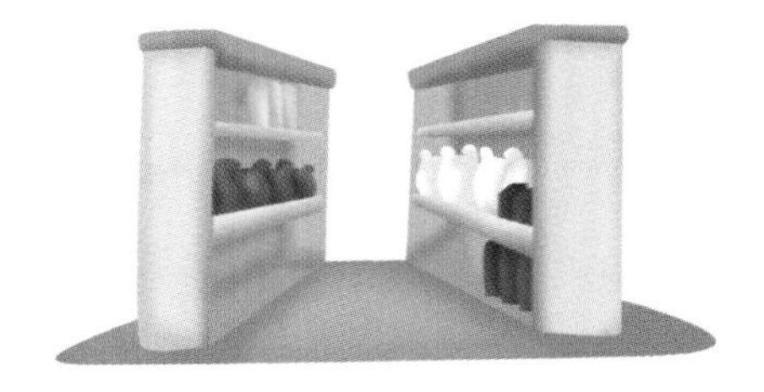

parduotuvė

swan

gulbė

sweet

saldainis

swimming pool

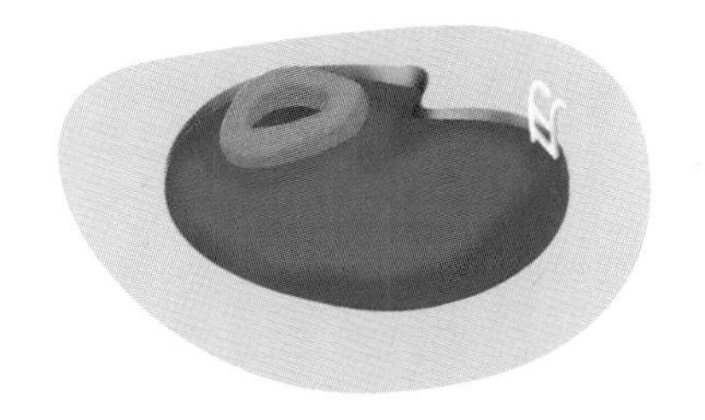

baseinas

swimsuit

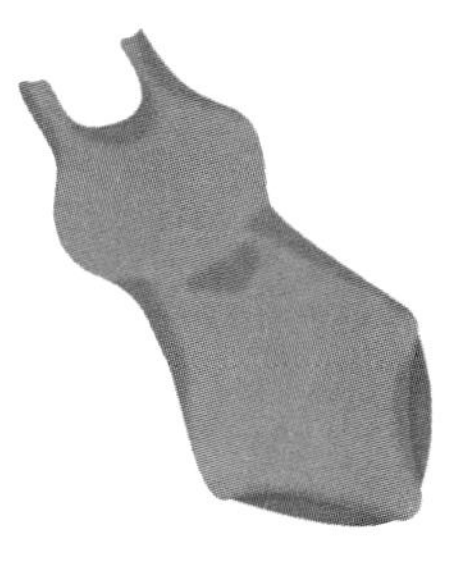

maudymosi kostiumėlis

swing

sūpynės

switch

jungiklis

syrup

sirupas

Tt

table

stalas

tall

aukštas (-a)

tank

tankas

taxi

taksi

tea

arbata

teacher

mokytojas (-a)

teeth

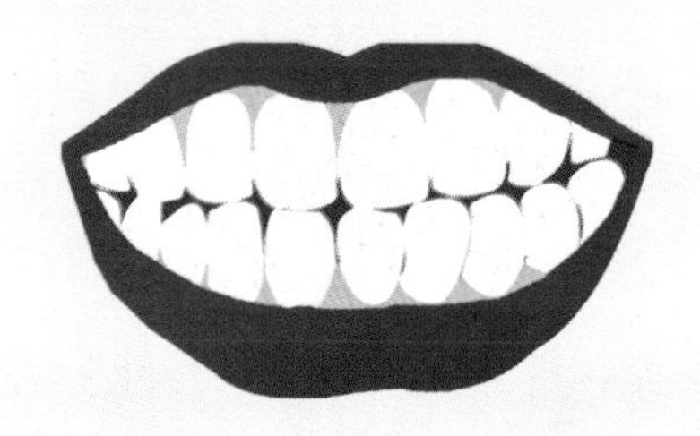

dantys

telephone

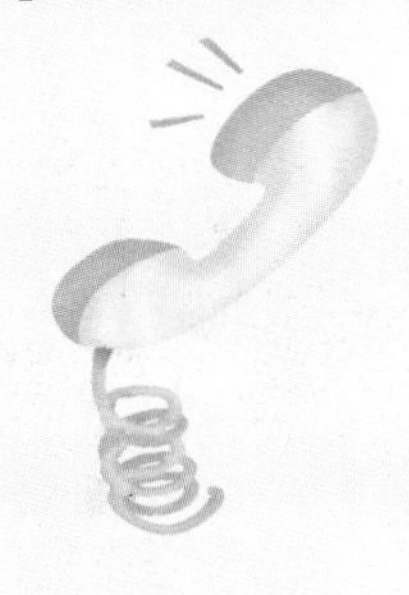

telefonas

television

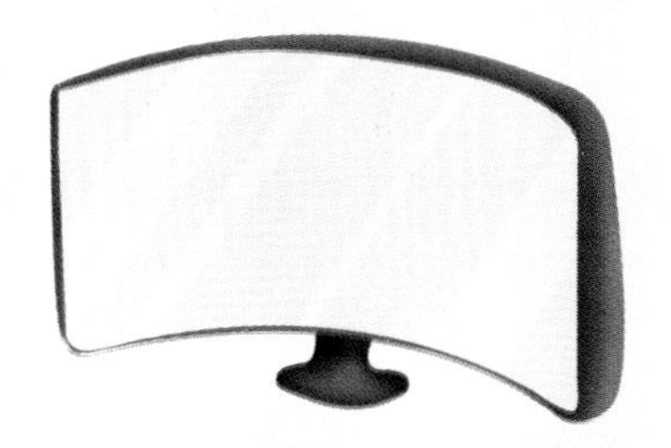

televizorius

ten

dešimt

tennis

tenisas

tent

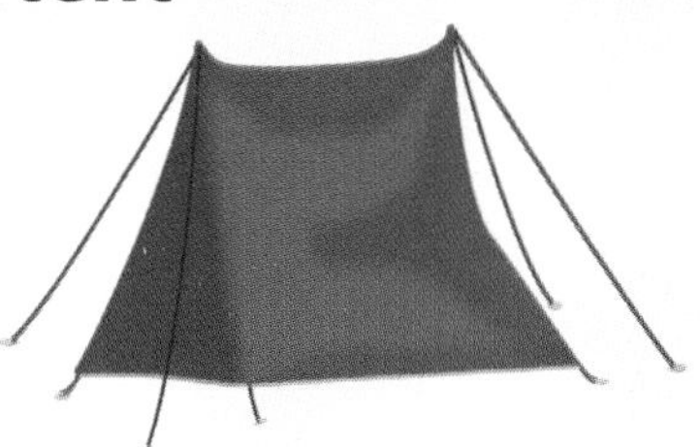

palapinė

thief

vagis

thread

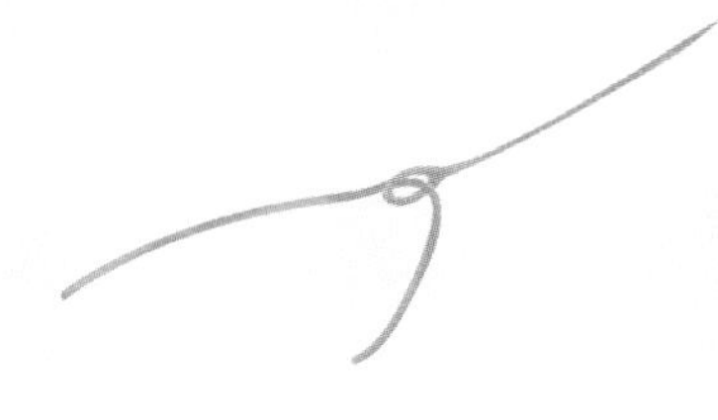

siūlas

three

trys

throat

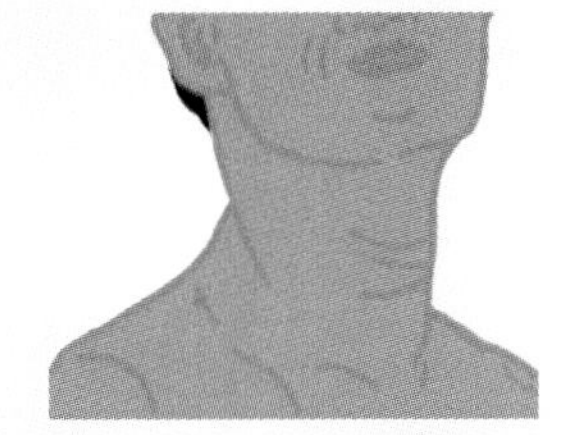

gerklė

thumb

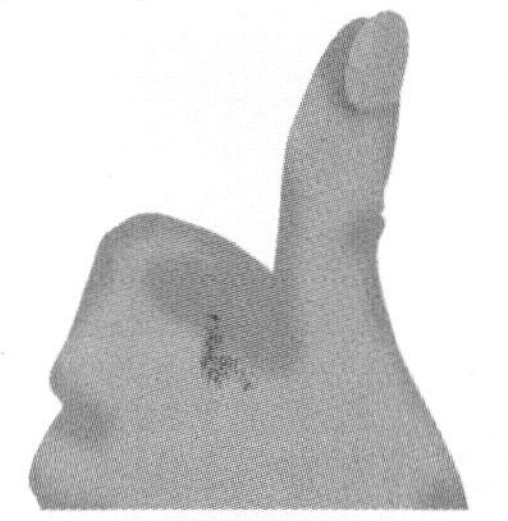

nykštys

ticket

bilietas

tiger

tigras

toe

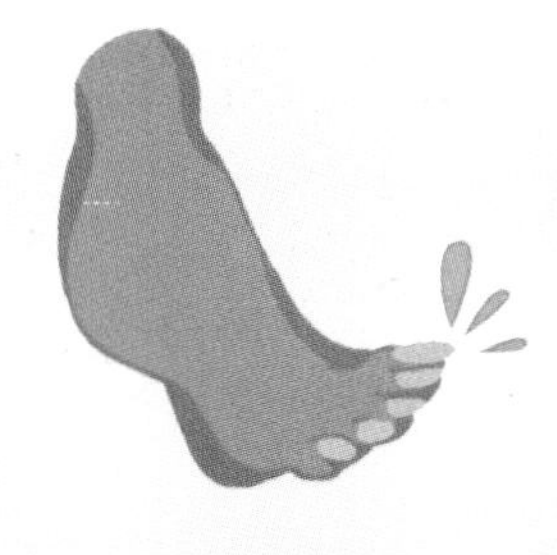

kojos pirštas

tofu

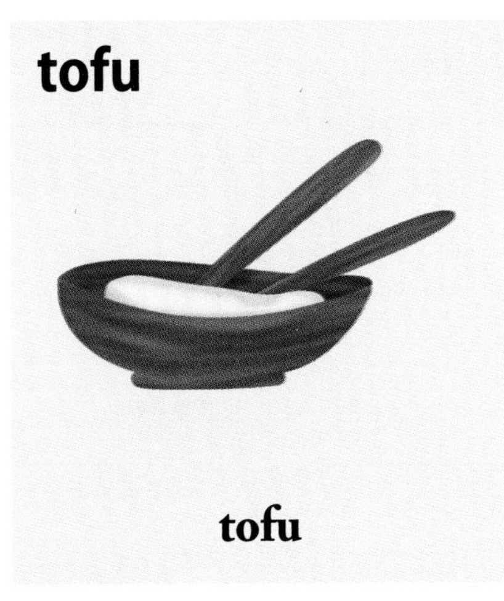

tofu

tomato

pomidoras

tongue

liežuvis

tool

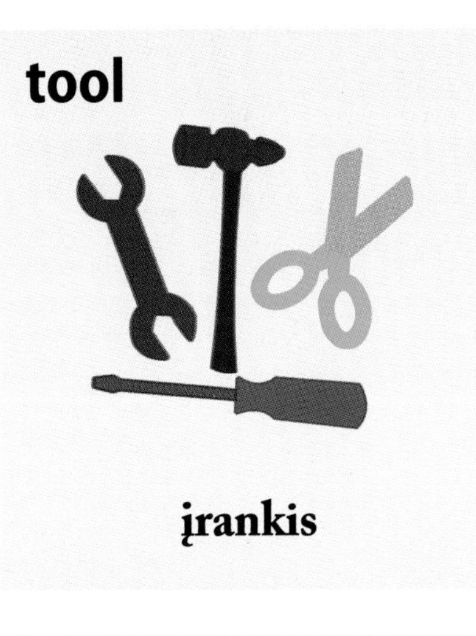

įrankis

toothbrush

dantų šepetėlis

toothpaste

dantų pasta

tortoise

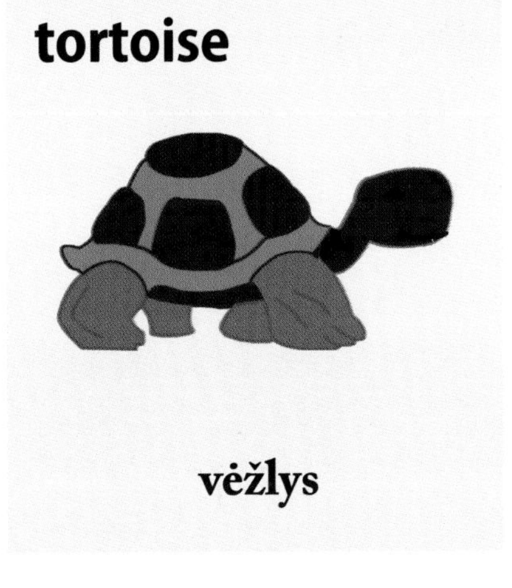

vėžlys

towel

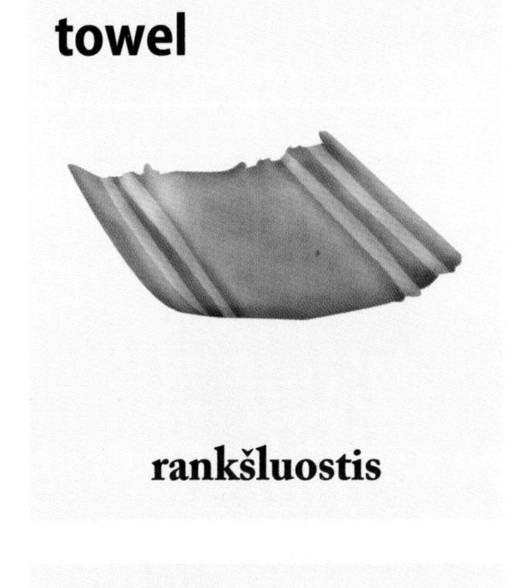

rankšluostis

tower

bokštas

toy

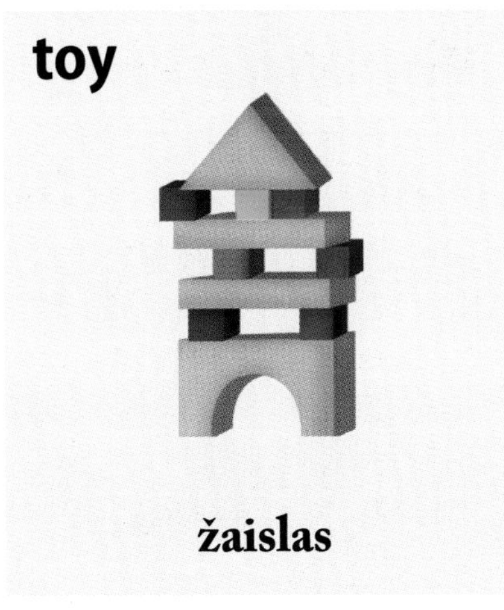

žaislas

tractor

traktorius

train

traukinys

tree

medis

triangle

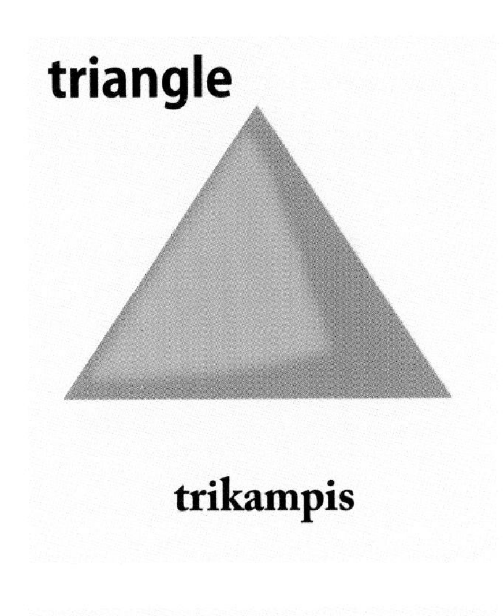

trikampis

tub

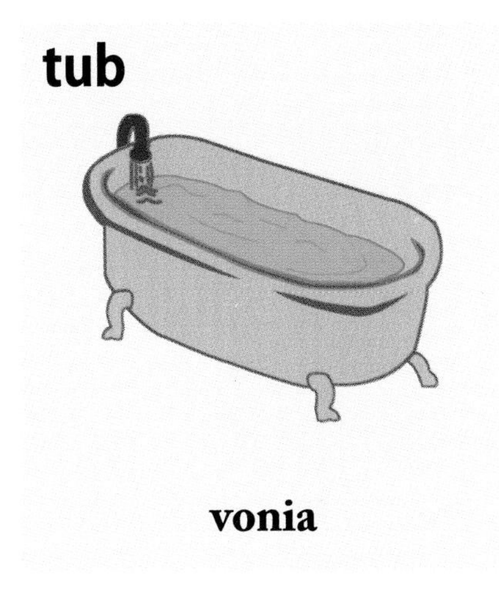

vonia

tunnel

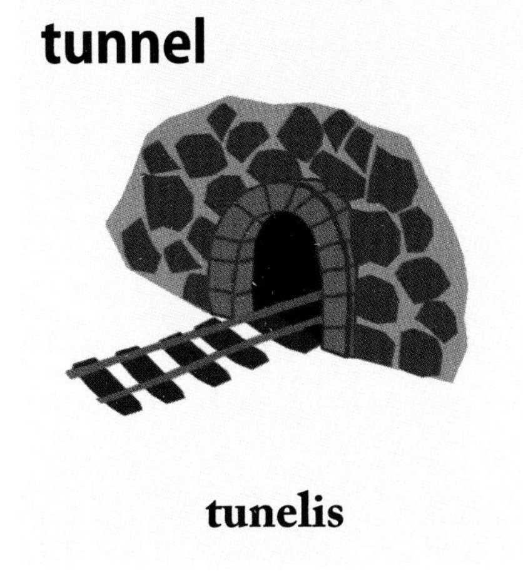

tunelis

turnip

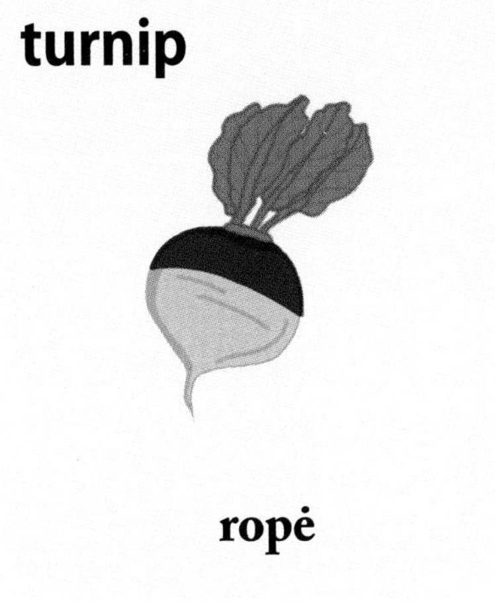

ropė

tyre

US English **tire**

padanga

umbrella

skėtis

uncle

dėdė

uniform

uniforma

university

universitetas

utensil

valgymo įrankiai

a b c d e f g h i j k l m n o p q r s t u v w x y z

Vv

vacuum cleaner

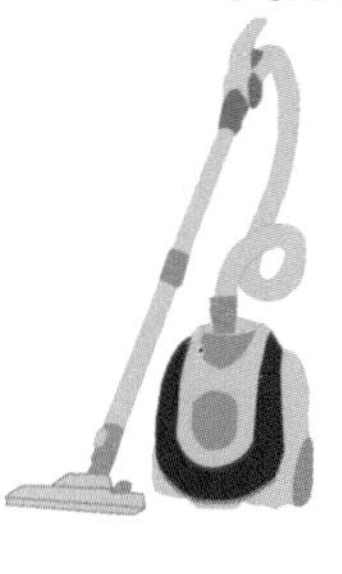

siurblys

valley

slėnis

van

furgonas

vase

vaza

vault

seifas

vegetable

daržovė

veil

šydas

vet

veterinaras (-ė)

village

kaimas

violet

violetinis (-ė)

violin

smuikas

volcano

vulkanas

volleyball

tinklinis

vulture

grifas

Ww

waist

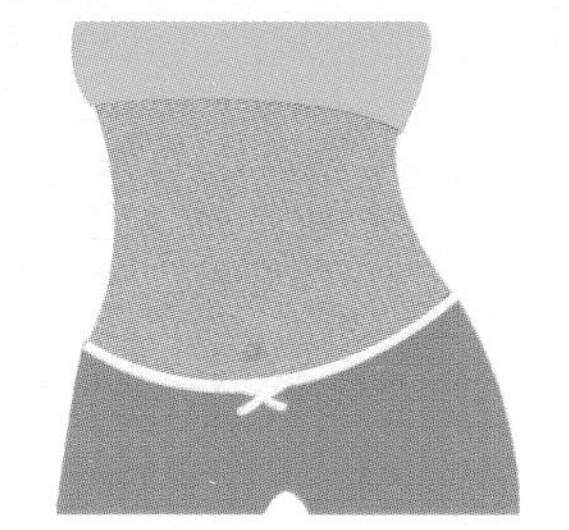

liemuo

waitress

padavėja

wall

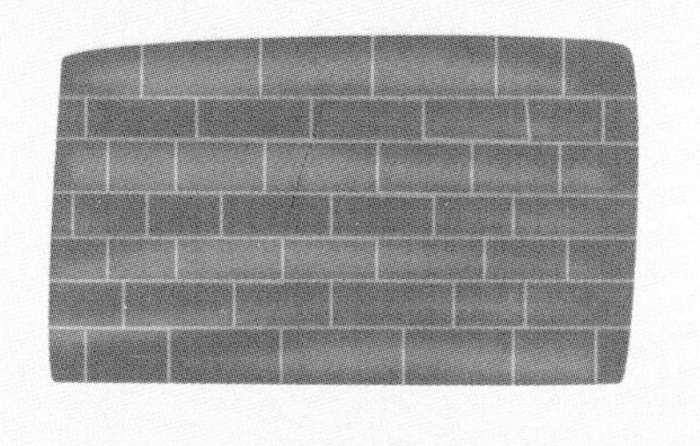

siena

wallet

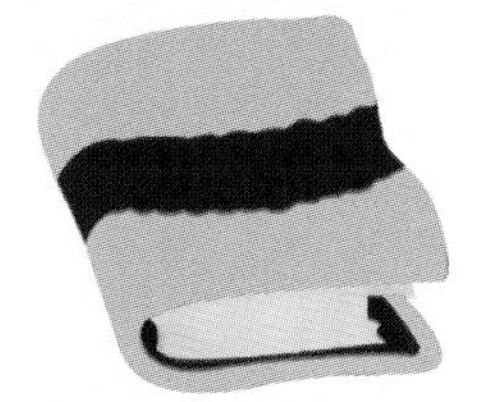

piniginė

walnut

graikinis riešutas

wand

lazdelė

wardrobe

drabužių spinta

warehouse

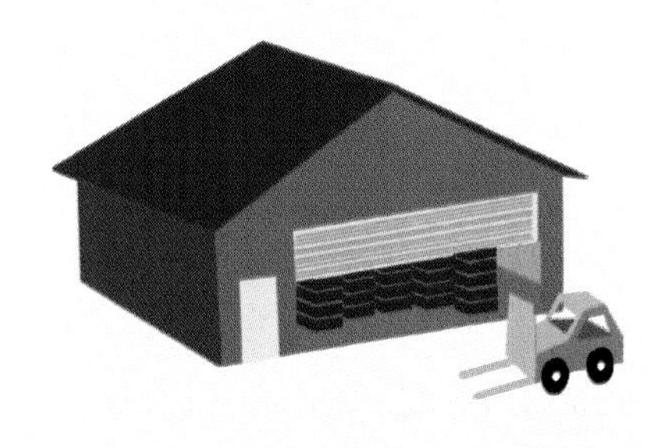

sandėlis

a b c d e f g h i j k l m n o p q r s t u v w x y z

a b c d e f g h i j k l m n o p q r s t u v w x y z

wasp

vapsva

watch

laikrodis

water

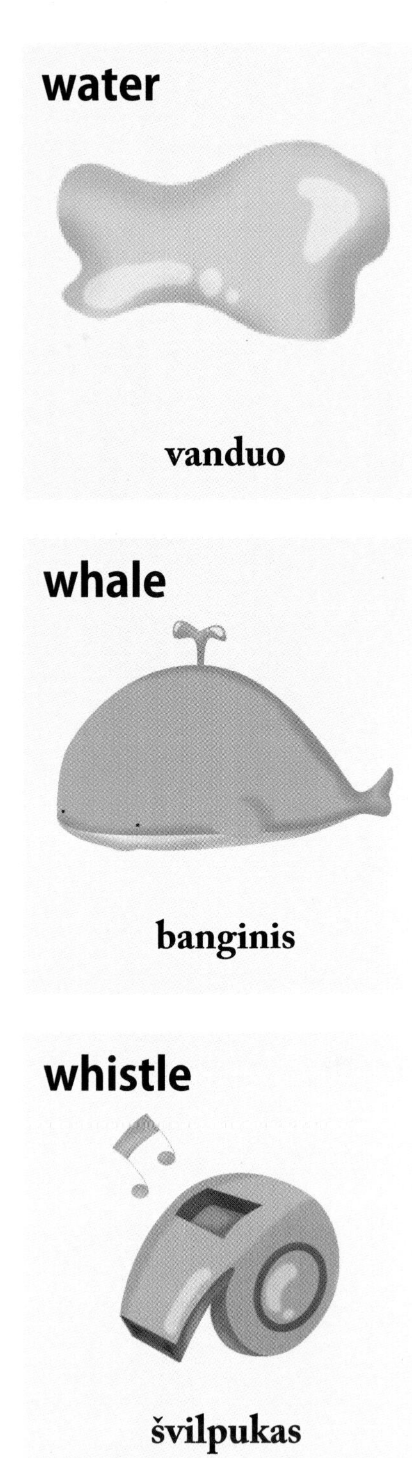

vanduo

watermelon

arbūzas

web

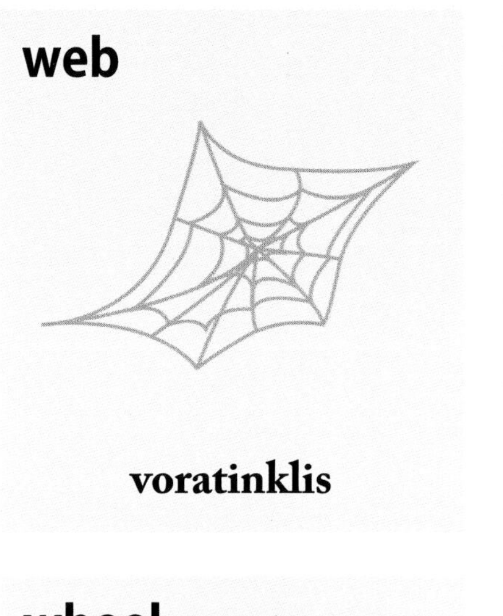

voratinklis

whale

banginis

wheat

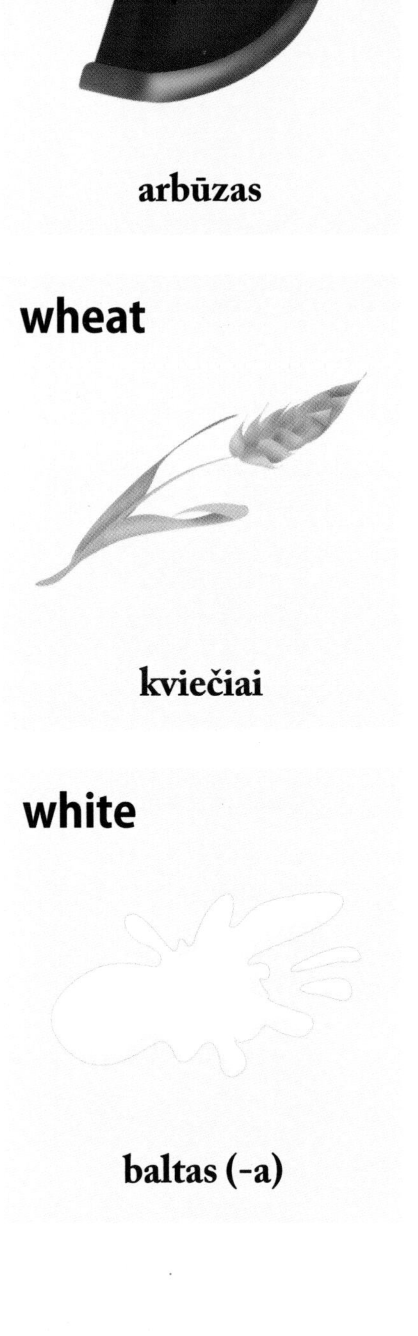

kviečiai

wheel

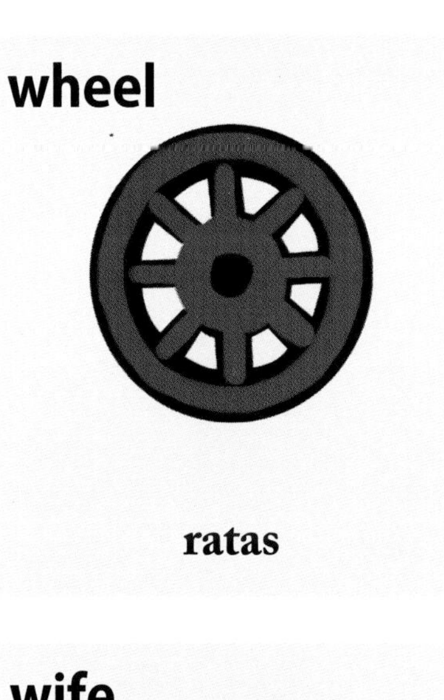

ratas

whistle

švilpukas

white

baltas (-a)

wife

žmona

window

langas

wing

sparnas

winter

žiema

wizard

burtininkas (-ė)

wolf

vilkas

woman

moteris

woodpecker

genys

wool

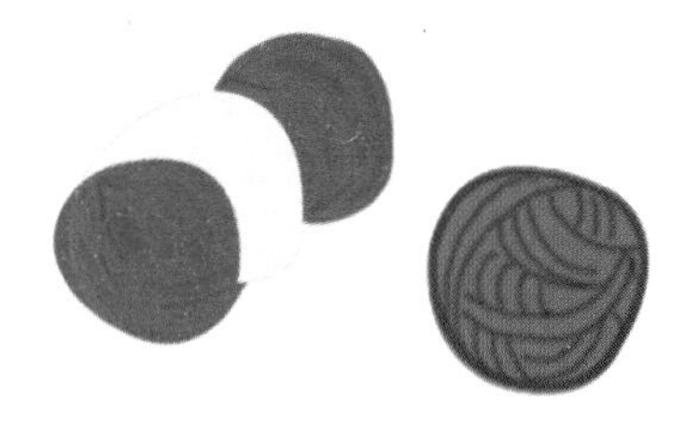

vilna

workshop

dirbtuvė

wrist

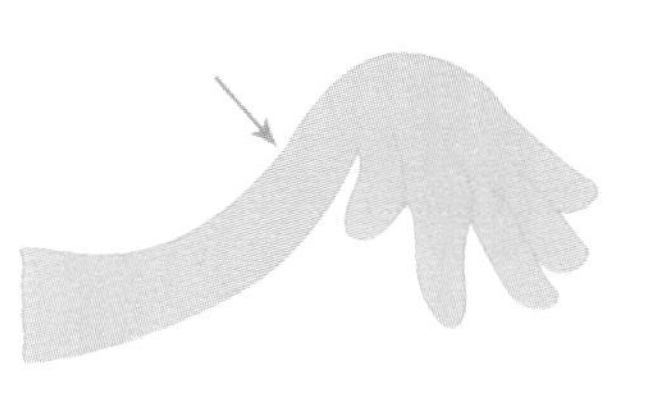

riešas

Xx

x-ray

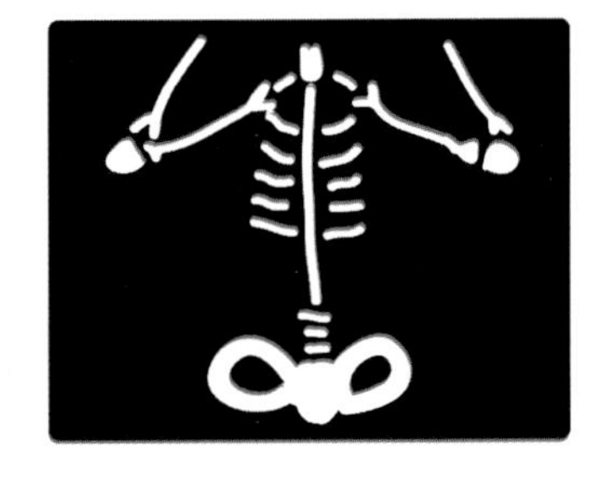

rentgeno spinduliai

xylophone

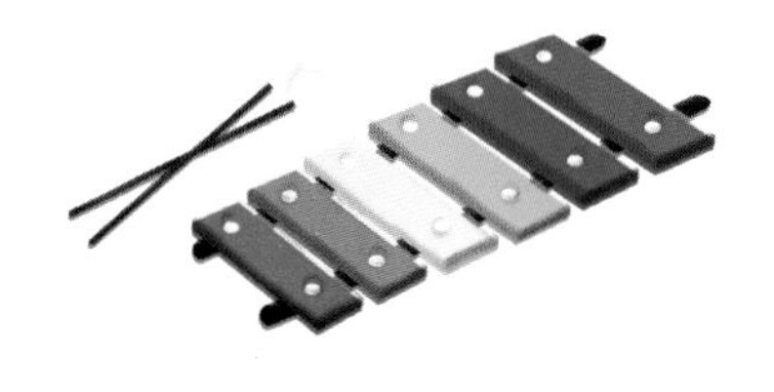

ksilofonas

a b c d e f g h i j k l m n o p q r s t u v w x y z

Yy

yacht

jachta

yak

jakas

yard

kiemas

yellow

geltonas (-a)

yoghurt

jogurtas

zebra

zebras

zero

nulis

zip

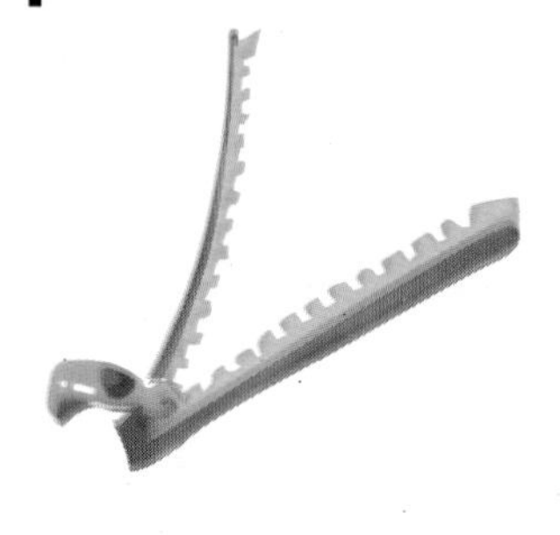

užtrauktukas

zodiac

zodiakas

zoo

zoologijos sodas